VUE DE LA TERRE PROMISE

DU MÊME AUTEUR

Chronique des Pasquier

Imprimé et publié en conformité d'une licence décernée par le Commissaire des brevets sous le régime de l'Arrêté exceptionnel sur les brevets, les dessins de fabrique, le droit d'auteur et les marques de commerce (1939). E. V. M.

Imprimé au Canada Printed in Canada

GEORGES DUHAMEL
de l'Académie Française

CHRONIQUE DES PASQUIER

Vue de la Terre promise

— *ROMAN* —

PARIS
MERCVRE DE FRANCE
XXVI, RVE DE CONDÉ, XXVI

Printed in Canada

CHAPITRE PREMIER

UNE SOIRÉE DE SEPTEMBRE. PAIX DE LA BANLIEUE. RECENSEMENT FAMILIAL. EXPOSITION D'UN PROBLÈME FINANCIER. AVANCE, REMBOURSEMENT ET FICHE DE GARANTIE. INFLUENCE DE LA POLITIQUE SUR LA VIE DE NOTRE MAISON. L'INTELLIGENCE DES CHIFFRES. VALEUR APPROXIMATIVE DES ÉTUDES EN SORBONNE ET DU SERVICE MILITAIRE. MYSTÉRIEUSE PRÉTENTION DE LAURENT PASQUIER. NARRATEUR.

CÉCILE arriva la première. Elle n'allait pas à Paris tous les jours, et même, en cette fin d'été, ses voyages étaient assez rares. Elle n'avait pas d'heures fixes, comme nos deux frères aînés. Elle arrivait tantôt par le train, tantôt par le tramway. On entendait ses talons, sur les marches, devant la porte. Elle entrait, droite, grande, un peu frêle, tenant, d'une main, rassemblés, les longs plis de sa robe, de l'autre le sac à musique. Elle saluait ceux qui se trouvaient là. Sa voix absente, aérienne, passait par-dessus nos têtes et tirait tout de suite au large. Cécile n'embrassait que maman.

Un peu plus tard, on entendit Ferdinand parler au chien, dans la cour. Ferdinand était fort myope et n'aimait pas les surprises. Dès le portail, il appelait le barbet pour mieux se mettre en garde contre les sauts et les effusions de la bête. Maman dit :

— Sept heures vingt-cinq !

Ferdinand s'arrêtait toujours au seuil de la salle à manger. Il frottait ses pieds sur le tapis-brosse et promenait dans la pièce un regard lent, émoussé. Il disait les grandes nouvelles du jour, dès avant que de quitter son pardessus :

— Le congrès socialiste sera quelque chose d'inouï. Il paraît qu'on y entendra Vera Sassoulitch, qui a tué, dans l'ancien temps, le préfet de Saint-Pétersbourg. Je comprends l'hospitalité française ; mais il y a des limites.

En gravissant l'escalier, Ferdinand parlait encore et commentait le journal.

Il travaillait dans les bureaux d'une administration du côté de la Bastille et revenait, le soir, en train, à l'heure où Paris, saisi d'un accès de fièvre, s'exprime comme un organe contractile et refoule par toutes ses bouches le peuple des banlieues. Notre frère Joseph travaillait dans le centre de la ville. Il ne rentrait pas tous les soirs à Créteil, car il pouvait coucher sur un sofa, dans son bureau. Il prenait, d'ordinaire, au Louvre, un lourd tram à vapeur qu'on appelait « la bouillotte » et qui n'était pas fort exact.

Mère dit pour la millième fois, de sa voix méditative :

— En général, c'est Joseph qui revient le premier.

Le silence reprit possesion de son empire. Un vrai silence provincial que perçait, de loin venu, le cri d'une locomotive en transes. Un ample silence, humide, frissonnant, sublimé par la respiration des jardins, des prés, des bosquets, des maisons engourdies dans la fraîche soirée de septembre.

Paula Lescure se mit debout. Son étroit visage de pensionnaire monta dans l'ombre où somnolaient les régions hautes de la salle. Je compris qu'après les heures de couture, Paula Lescure s'étirait, invisiblement, et, comme elle faisait toutes choses, sans le plus petit bruit. Elle murmura :

— Ma cousine veut-elle que j'aille chercher la boisson ?

Paula vivait avec nous depuis plus de quatre mois. Elle nous adressait la parole à la troisième personne, d'une voix non pas servile, mais soumise et presque glacée.

— Allez, mon enfant, dit mère. Et, tout aussitôt, elle s'écria : « Voilà Joseph ! »

Joseph n'entra pas tout de suite. Nous l'entendions, dans le vestibule, s'ébrouer, gronder, frapper de la semelle. Puis il monta dans sa chambre. Notre père, à cette heure, devait être dans un réduit dépendant de son cabinet et qu'on appelait, pompeusement, le laboratoire. Il y passait de longues heures à manier des éprouvettes, des flacons, des tubes de verre. Il composait toutes sortes d'élixirs, des baumes, des embrocations qu'il essayait sur lui-même avec une belle témérité.

— Maintenant, murmura notre mère, je vais tremper la soupe.

Une minute plus tard je l'entendis qui devisait avec Paula, dans la cuisine. L'odeur insidieuse du poireau se répandait, soudain plus hardie, dans les chambres et l'escalier, et cet appel muet rallia toute la famille.

Je me souviens, c'était un soir de l'année 1900, un soir de la fin septembre. La famille était au complet, c'est-à-dire que nous étions huit: ma mère, mon père, nous les enfants, Joseph, Ferdinand, Cécile, Suzanne, moi-même, et, pour finir, Paula Lescure, notre cousine. Ma petite sœur Suzanne n'avait guère plus de huit ans. Elle se tenait au bout de la table, entre ma mère et Paula. Ma mère ne voulait pas prendre la place du milieu, la vraie place de la dame. Si, depuis la fin du printemps, elle acceptait, par devoir, l'assistance de Paula Lescure, il lui fallait, vingt fois durant le souper, pour satisfaire à de vieilles coutumes quasi rituelles, aller à la cuisine, tourner les roux, piquer le feu, chercher les plats et les pots. Avec un entêtement dont nul de nous n'aurait osé demander les vraies causes, elle se refusait une servante et c'était bien à contre-cœur, sur notre prière à tous, qu'elle avait laissé Paula, pâle sous un tablier de satinette noire, introduire au salon les patients qui venaient consulter le docteur.

Le bruit des cuillers sonnant sur la faïence éclaira le début du repas. C'était un soir semblable aux autres soirs et, pourtant, nous sentions, nous savions même que ce soir-là serait sans doute bien différent des autres. On entendait: « Encore un peu de sel... Merci... Le pain, s'il te plaît... Non, c'est assez. » Un calme attentif pesait sur les âmes assemblées. Et, soudain, notre père essuya ses longues moustaches rougeoyantes. Il ne les suçait point, comme faisaient volontiers les moustachus de son temps. Il les lissait avec un coin de sa serviette, puis les tordait un peu d'un geste rêveur et détaché. Ferdinand boucha l'une de ses narines avec le pouce et renifla pour soulager un éternel rhume de cerveau. Il dit en nasillant :

— Cécile, te voilà dégommée. Sais-tu qu'on a découvert un petit gosse de trois ans qui compose de la musique et joue comme père et mère ? Il s'appelle Petito Ariola, ou quelque chose dans ce genre...

— Ferdinand ! souffla notre mère.

— Quoi ? Hein ? Qu'est-ce qu'il y a ? dit Ferdinand en regardant tout à l'entour d'un air interrogateur.

— Votre père veut vous parler.

Papa souriait faiblement, l'air lointain, dédaigneux.

— Nous écoutons, prononça Joseph en considérant son assiette.

Paula Lescure se leva. Nous comprîmes aussitôt qu'elle voulait se retirer, sans aucun doute par discrétion. Elle était de taille moyenne, le buste bien pris dans une robe de drap qui lui comprimait la gorge. Une grande natte de cheveux châtains se tordait au-dessus de sa nuque. Elle baissait les yeux d'un air froid qui voulait dire, qui disait : « Je sais que je n'ai pas le droit... »

Cécile haussa les épaules et déclara, la voix tranquille :

— Je ne vois pas pourquoi Paula n'écouterait pas, comme nous autres.

Père ne répondit rien. Maman fit « oui », de la tête.

— Que ma cousine, dit Paula, me permette d'aller chercher les œufs à la coque et les légumes.

Il y eut une minute d'attente. Armé d'un bout de pain, Joseph attrapait les miettes, autour de lui, sur la table, et les mangeait, une par une. La petite

Suzanne dit, presque bas, mais avec force : « Je ne veux pas de carottes... J'en aurai pas, des carottes !... » Et, soudain, notre père commença de parler.

— Il s'agit, mes enfants, dit-il, de l'argent de votre tante Mathilde. Nous devions, comme vous le savez, toucher cet argent à la fin de l'année dernière. Grâce à la diligence de messieurs les hommes d'affaires, nous n'aurons attendu qu'un an après la date légale. J'ai reçu, ce matin même, une première tranche, la moitié. Le reste viendra ces jours-ci.

Il y eut une petite pause et notre père ajouta, d'une voix bien contenue :

— Un peu plus de dix mille francs tout de suite, et le reste dans une semaine. Vous voyez que votre mère et moi nous ne voulons rien vous cacher.

— Mais, dis-je, nous savons tout ça. Je ne vois pas... Je ne comprends pas... Pourquoi cette cérémonie ?

Joseph, allongeant le bras, me posa la main sur l'épaule.

— Un peu de patience, dit-il. Tu peux continuer, papa.

Il y eut un instant de répit pendant lequel on entendit les bruits de la table. Puis, de nouveau, tout s'arrêta. La petite Suzanne elle-même cessa de boire et de manger.

— Vous savez tous, dit papa, que je ne peux pas songer à rembourser les emprunts que nous avons faits sur les titres de Joseph et de Ferdinand. Si lourd qu'en soit l'intérêt, nous ne pouvons pas nous priver d'argent liquide, puisque nous avons la chance d'en voir tomber un peu.

— Oui, m'écriai-je avec agacement, qu'on ne rembourse pas les emprunts ! Je suis même consentant à ce qu'on fasse, dans dix-huit mois, un emprunt sur mon titre, en attendant le tour de Cécile.

— Laurent ! Laurent ! souffla ma mère d'une voix chargée de reproche. L'œil de mon père lançait des éclairs nacrés. Il respira profondément.

— Mon cher, tu n'en sais rien. D'ici là, ma position peut devenir plus que brillante. Le tout est de commencer, de se mettre à pied d'œuvre. Enfin, revenons à notre affaire. Joseph et Ferdinand, supposant, sans doute à tort, que l'emprunt fait sur leur titre pourrait n'être pas remboursé, même plus tard — c'est leur sentiment — nous ont demandé tous les deux de leur consentir, sur cet argent de la tante Mathilde, une avance assez considérable.

Joseph heurta la table avec le manche de son couteau.

— Je te demande pardon, papa ; mais ce n'est pas ça du tout.

— Comment ? M'avez-vous, oui ou non, demandé l'un et l'autre une avance de trois mille francs ! ce que je me permets de juger exorbitant.

— Ram, dit notre mère vivement, il ne s'agit pas d'une avance, puisque c'est un remboursement, c'est-à-dire tout le contraire.

— Un remboursement de quoi ?

— Des sommes que nous avons empruntées sur les titres de Joseph et de Ferdinand, à la majorité de chacun.

Mon père hocha la tête et tira sur ses moustaches. Il commençait de s'irriter et son regard pâlissait.

— A vous entendre, fit-il, on dirait que je ne comprends rien.

— Tu vas comprendre, dit Joseph.

Il venait de poser, à plat, ses deux fortes mains sur la nappe. Il semblait, ce faisant, tout dominer, tout éclaircir. Il reprit, articulant les mots avec beaucoup de force :

— La question est mal posée. Premièrement : les emprunts. Que papa se refuse à rembourser l'emprunt qu'il a fait sur mon papier...

— Mais c'était pour la maison, vous en avez tous profité.

— Ne compliquons pas les choses. Nous ne sommes pas les parents. Les dépenses de la maison, c'est vous que ça regarde. Donc, si papa se refuse à rembourser cet emprunt, après tout, c'est son affaire et je ne m'en étonne pas. Comme, en définitive, le montant de cet emprunt doit venir en déduction sur mon argent à moi, je demande non pas un véritable remboursement personnel, mais une somme de garantie, voilà le mot, exactement. Trois mille francs sur quatre mille trois cents. C'est modeste. Un point et ce n'est pas tout.

— Moi, s'écria Ferdinand, il s'agit de mon mariage. Je demande la parole.

— Laisse-moi finir, dit Joseph. Cette somme de trois mille francs, dont j'ai le plus pressant besoin pour mes affaires — mais c'est une question personnelle, et je n'en parle même pas, par pure discrétion — cette somme est donc une simple fiche de garantie. Je m'offre à la reverser, si papa rembourse jamais la société prêteuse, c'est-à-dire s'il restitue jamais les quatre mille trois cents francs au *Capital Mutuel*. Comprenez-vous ?

— Non, dit froidement Cécile.

— Ça prouve, répliqua Joseph, que les affaires d'argent c'est quand même plus compliqué, plus délicat, autrement dit, que la musique.

Cécile haussa les épaules et Joseph poursuivit aussitôt :

— Vous allez toucher, en deux fois, à peu près vingt-deux mille francs. Si, si, avec les intérêts. J'ai tous les calculs en poche. Je considère donc mon affaire des trois mille francs comme une affaire réglée.

— Mais, dit Ferdinand, la mienne ?

— Tu parleras à ton tour. Pour moi, je n'ai pas fini. Je juge le moment venu de régler une autre affaire.

— Quoi ! dis-je, il n'y a plus d'affaire.

— C'est ce que nous allons voir.

Joseph baissa la voix et se mit à parler plus lentement. Nous l'écoutions, les uns et les autres, avec une irritation colorée de respect.

— Vous connaissez mon premièrement. J'en arrive au deuxièmement. J'estime que, n'ayant pas fait d'études, comme celles qu'ont faites, que font encore Laurent et Cécile, ayant, dans une certaine mesure, été sacrifié, je dois profiter de l'occasion véritablement exceptionnelle qui nous est offerte aujourd'hui pour demander, en toute justice, une indemnité correspondante. Un petit instant de patience. J'ai fait tous les comptes, au plus juste. Je peux montrer mon bordereau.

Cécile se prit à rire.

— Ça dit-elle, c'est un mot malheureux.

Joseph mordit sa moustache et il y eut un instant de silence orageux. Papa grattait la nappe avec la pointe de ses ongles.

— Cécile ! murmura maman. Vous m'aviez pourtant promis...

Chaque fois que revenait, dans nos entretiens, un mot ayant le moindre rapport avec l'affaire Dreyfus, il semblait qu'aussitôt un abîme s'ouvrît sous nos pas et divisât la famille : d'un côté, Cécile et moi, tous deux dreyfusards avec frénésie, de l'autre Ferdinand, Joseph et, en renfort, à l'occasion, notre père. A force de supplications, ma mère avait obtenu que « l'affaire » serait, à la maison, écartée de tous nos entretiens. Pourtant, parfois, un nom, une idée, moins même, une intonation, enfin je ne sais quel souffle traversait nos chamailles et les esprits, aussitôt, se cabraient comme des insectes en position de combat.

— C'est à croire, gronda Joseph, qu'il n'y a plus moyen de parler. Tant pis ! je continue. Je suis tout à fait raisonnable en évaluant à deux mille francs, au moment où nous en sommes, les dépenses engagées par la famille pour Laurent et pour Cécile. Je dis deux mille par tête.

— Oh ! s'écria maman, l'air soucieux, pour Laurent, c'est encore possible, bien qu'il ait eu toutes les bourses. Mais pour Cécile, tu sais bien que nous n'avons presque rien payé. J'ajoute même que, depuis trois ans, oui, depuis son voyage en Belgique, Cécile nous a donné, à moi, à la maison, beaucoup plus de deux mille francs sur l'argent de ses concerts...

— Mère, dit Cécile, le regard éclatant, tu m'avais pourtant promis de ne pas le dire à personne. Non, non, Joseph a raison. J'ai du talent, il n'en a pas, cela mérite une indemnité. Je vote pour les deux mille francs.

— C'est extravagant! dit papa, frappant le bord de la table avec ses doigts repliés. C'est inimaginable! « Je vote pour les deux mille francs... Je demande la parole... premièrement, deuxièmement... » On se croirait à la Chambre. La politique des journaux finira par vous tourner la tête. Trois mille par-ci, deux mille par-là. Trois mille ailleurs. Et encore quoi? Si je vous écoutais tous, il ne resterait rien.

— Le calcul est le calcul, fit Joseph avec sang-froid. Je demande, je peux demander cinq mille francs, c'est mon droit.

— Oui, dit mère. Et Ferdinand? Il n'a pas fait non plus d'études, Ferdinand.

— C'est-à-dire, bredouilla Ferdinand, que j'en ai fait moins que Laurent, mais j'en ai fait quand même.

— Attendez, cria Joseph. Le cas de Ferdinand est simple.

— Pourquoi dis-tu que c'est simple? répondit Ferdinand, l'air vexé. Je réclame la parole.

— Mon Dieu, mon Dieu! gémit notre mère, vous n'allez pas vous disputer.

— Je me demande, gronda Joseph, pourquoi tu nous en empêcherais. Mais toute dispute est inutile.

Du plat de ses deux mains, il frappa fortement la table.

— Laissez-moi donc parler: je suis le seul, ici, le seul à comprendre quelque chose aux affaires d'argent.

— Joseph! soupira maman.

— Je dis, je répète: le seul. Ferdinand n'a pas fait d'études. Soit!

— Qu'est-ce que tout ça signifie? Des études, moi, Joseph Pasquier, je n'en ai pas fait, somme toute.

Et je ne suis pas un ignorant. Mais puisque tu déclares en avoir fait, alors, ton cas est réglé. Tu entres dans la catégorie de Laurent et de Cécile.

— Enfin, s'exclama notre père, vous allez me mettre en rage. Tu sais pourtant bien, Joseph, que les classes de Ferdinand n'ont pas coûté très cher, en définitive.

— Je le sais, répondit Joseph, et j'allais tout mettre au point. Mais vous m'empêchez de parler.

— Eh bien! parle, soupira notre père en remuant la tête de gauche à droite et de droite à gauche d'un air excédé. Parle! C'est inimaginable!

Joseph regarda gravement toute la famille en tendant les mains, paumes en dessous, comme pour pacifier les âmes.

— Je veux bien reconnaître, dit-il, que Ferdinand n'a pas fait d'études ou, du moins, qu'il n'en a pas fait de très coûteuses, ni de très longues. Il a pourtant été notablement avantagé.

— Mais en quoi donc? fit maman qui se dressait toujours pour venir au secours de Ferdinand.

— Oui, en quoi? demanda Cécile.

— C'est simple, répondit Joseph. En ce qu'il n'a pas fait de service militaire. Et ce sera le troisièmement de mon petit discours. Oui, je sais, Ferdinand est myope. Il y a des cas où certaines infirmités sont de véritables chances. Ferdinand ayant été exempt de service militaire, je peux considérer que j'ai, exclusivement, droit à l'indemnité de deux mille francs.

— Je t'en prie, m'écriai-je en me levant de table, je t'en prie, père, donnons-lui ses cinq mille francs et qu'il n'en soit plus question.

— Une minute, articula Joseph. Je veux mes cinq mille francs, bien sûr, et je veux qu'on me les donne avec le sourire, gracieusement, comme une chose due.

— C'est admirable! disait père. « Donnons-lui ses cinq mille francs! » C'est le partage de la Pologne. Cinq mille francs pour Joseph, trois mille pour le mariage et l'installation de Ferdinand...

— Parfaitement, coupa Joseph. Cinq et trois huit. Huit de vingt-deux... Je dis bien vingt-deux: j'ai en main la copie des comptes du notaire... Huit de vingt-deux, restent quatorze mille. C'est une somme considérable.

— Non, dis-je en forçant ma voix pour dominer le tumulte. Non, ce sera seulement treize mille, car, puisque tout le monde se sert, je demande aussi quelque chose.

Cécile me prit par le bras.

— Oh! laisse-les, soupira-t-elle. Pas toi, Laurent, pas toi!

— Cécile, soufflai-je très bas, Cécile, je t'expliquerai.

Mon père avait un peu pâli. Les poils de sa moustache s'agitaient lentement, dans l'air, comme des pattes de faucheux.

— C'est ridicule, ridicule. Vous êtes des hommes et des femmes. Nous aurions dû, tout simplement, vous traiter comme des enfants. Cette scène est inconcevable.

— Papa, fis-je, la voix tremblante, je te demande pardon. Joseph l'a démontré, je n'ai pas droit à ce partage puisque j'ai reçu ma part. Eh bien! quand même, solennellement, je te demande mille francs, en acompte sur l'argent que nous tirerons de mon titre.

— Mais, dit père, qu'en feras-tu?

— Papa, j'en ai besoin pour mes études, car moi, je poursuis des études. Je jure, en plus, devant vous tous, que je ne veux pas faire un mauvais usage de cet argent. J'ajoute que je m'engage à le rendre, à qui vous voudrez, soit quand je gagnerai quelque chose, soit quand on fera l'emprunt sur mon titre...

— Mais on ne fera peut-être pas d'emprunt.

— Enfin, je m'engage à le rendre. Je peux signer un papier.

— Ça, c'est toujours préférable, dit Joseph posément. J'allais transiger à quatre mille cinq; seulement, puisque Laurent s'inscrit pour mille francs, je resterai donc à cinq mille et je demande un reçu de Laurent. C'est moi qui le conserverai. Si, si, le papier, ça se perd. Vous déménagez souvent.

— Papa, dis-je encore plus bas, non seulement je te supplie de me donner ces mille francs, mais de me les donner tout de suite.

— Ce soir! fit maman. Pourquoi?

Elle avait cet air anxieux, débordé, hagard, que nous lui voyions, maintenant, au milieu de nos querelles.

— Ce soir, fis-je, absolument.

Il y eut un grand silence. Paula Lescure commença de débarrasser la table. Elle était, parmi nous, comme une ombre indifférente, une créature de l'autre monde. Pourtant, elle écoutait tout, j'en étais sûr.

Nous étions, selon nos caractères, les uns rouges, les autres pâles. Père faisait claquer ses ongles contre l'ongle de son pouce. Il dit:

— Si j'avais su... Si j'avais su...

— Quoi? demanda Joseph. Qu'est-ce que tu veux dire, papa?

— Eh bien! si j'avais su, je n'aurais rien dit.

Joseph haussa cordialement les épaules.

— Allons, allons, papa, tu rêves. Pas d'enfantillages. J'ai vingt-six ans, Ferdinand vingt-trois. Les autres, à part Suzanne, ont aussi voix au chapitre. Quand il s'est agi d'emprunter sur nos papiers, nous n'avons pas poussé des cris. La famille, c'est la famille. Au fait, en ce qui me concerne, je suis moins pressé que Laurent. Je prendrai l'argent demain.

— Nous parlerons de ça plus tard, maugréa père, l'accent boudeur. Cet argent! Ne dirait-on pas! Je n'ai même pas eu le temps de le voir.

— Eh bien! montre-le, dit Fernand.

— C'est ça, montre-le, dit Joseph.

— Moi, dit Cécile, ça m'est égal. Je vais chez moi travailler.

— C'est inconcevable, répéta notre père.

Maman hochait la tête.

— Pourquoi ne pas le leur montrer? On dirait, à les entendre, qu'ils ne savent pas ce que c'est.

— C'est toujours curieux à voir, fredonna Joseph.

Notre père se leva d'un air en même temps furieux et intéressé. Il sortit de la salle et revint, au bout d'un moment, portant une grande enveloppe. Il en tira neuf billets bleuâtres, deux larges billets de cinq cents francs et quatre billets de cent francs.

— Le compte y est, fit Joseph.

Nous nous étions tous assis.

— Vraiment, Laurent, dit mon père, nous allons parler de cela. Tu me dépasses. Vous me dépassez tous.

— Papa, fis-je d'une voix étranglée, j'aurai vingt ans dans six mois...

— Oui, dit Joseph! Il est mineur; mais entre nous, ça ne fait rien. Puisqu'il va signer un papier. Même entre nous, suffit que les comptes soient en règle.

— Nous parlerons de ça tout à l'heure, dit encore mon père en remettant les billets dans l'enveloppe. C'est une scène renversante.

Maman me regarda, longuement, minutieusement. Elle me posa la main sur le front et dit tout bas:

— Veux-tu qu'on en parle demain?

— Non, fis-je les dents serrées. Ce soir!

Une fine pluie de sons perlés tomba soudain sur nos têtes. Cécile commençait de jouer.

CHAPITRE II

ACTION LÉNITIVE DU CIEL NOCTURNE. PREMIÈRE ALLUSION À MADEMOISELLE HÉLÈNE STROHL. DE LA PRUDENCE ET DU COURAGE. OFFRES DE SERVICE. UN EXCELLENT SAUTEUR. LIQUIDATION D'UNE VIEILLE HISTOIRE. DÉLIRE SACRÉ DE JOSEPH. VATICINATION À VOIX BASSE.

UNE demi-heure plus tard, j'étais dans le jardin, les mains aux poches et tête nue. Je ne connais rien de meilleur, après une querelle de famille, que le spectacle du ciel et surtout du ciel nocturne. Un souffle humide et frais charriait de grands nuages déchirés qui devaient recevoir, de loin, le rayonnement de Paris et qui s'animaient de flammes roses. Entre eux, avec eux, voyageaient des vols d'étoiles, des clartés laiteuses, des trous d'ombre, des abîmes bleus. Le vent avait passé sur la ville et sur les champs, il sentait, par bourrasques, la fumée, la terre ouverte, les feuilles malades; il venait de l'ouest et, parfois, dans un majestueux remous, il répandait une odeur ineffable, que je n'avais encore sentie qu'une seule fois avec évidence, mais que je salue et reconnais tout de suite quand elle parvient ainsi jusqu'aux vallons de l'intérieur, la poignante odeur de l'eau, de l'océan.

Vraiment, c'était une belle soirée, à la couleur de mon âme.

Une lumière pointa dans la chambre de Joseph et j'entendis la fenêtre s'ouvrir. Le gaillard aimait bien l'air. Un instant après, je vis le feu rouge d'une cigarette. Alors, soudain résolu, j'appelai, entre haut et bas: « Joseph! »

Il dit, de sa grosse voix mâle:

— C'est toi, Laurent? Qu'est-ce que tu veux?

— Te parler, me promener. Tu ne te couches pas tout de suite?

— Fichtre non. Et alors?

— Viens te promener avec moi.

— En voilà une fantaisie!

— Tu ne veux pas, Joseph?

— Je n'ai pas dit que je ne voulais pas. Je me demande ce qui te tracasse. Enfin... Ça va. Je descends.

Je fis le tour de la maison. Une minute plus tard, Joseph ouvrit la porte. Il avait pris un foulard et ce chapeau melon qu'il ne quittait jamais et qu'il estimait « sérieux ».

— Ah! fis-je, tu crains de t'enrhumer?

Il haussa les épaules.

— Moi, je ne sors pas nu-tête. Je ne suis pas un hurluberlu, je ne suis pas un fantaisiste, un artiste, un esprit distingué...

A cet instant, maman parut dans l'entre-baillement de la porte. Elle faisait effort pour nous apercevoir au milieu de l'ombre et dit:

— Vous n'allez pas sortir encore?

— Maman, nous allons nous promener.

— Pourquoi? Pourquoi, mes enfants?

— Sois tranquille, dit Joseph, nous n'irons pas au café.

Pendant que nous fonçions dans le noir, la voix inquiète, désolée, répétait :

— N'allez pas trop loin, mes petits. Sortir! Sortir! Quelle idée!

Nous avions atteint la rue. Naturellement, la pente nous menait à la rivière. Quelques secondes encore et nous aperçûmes l'eau noire où dansaient les lueurs nocturnes. Joseph dit placidement :

— Tu as ton itinéraire?

— Non, ma foi, non.

— C'est un tort. Dès que l'on fait un pas, il faut savoir où l'on va. Nous suivons le bras du Chapitre?

— Non. Allons plutôt du côté du pont de Saint-Maur.

— Ça m'est égal, puisque je suis sorti pour te faire plaisir.

— Tu es bien gentil, Joseph.

Nous tournâmes vers la gauche. Un sentier longeait la rivière, mais il était mal visible et, d'accord, nous prîmes la route. Nous marchions d'un assez bon pas. Pendant une grande minute, nous gardâmes le silence. Enfin, Joseph, à voix couverte :

— Tu l'as, ton billet de mille?

— Tu le sais bien que je l'ai.

— Je veux dire : tu l'as sur toi, là, comme ça dans ta poche?

— Naturellement. Où veux-tu que je le mette?

— Dans ta poche? Ah! Pas prudent, mon ami, pas prudent.

— Je me demande pourquoi.

— Dame, la nuit, en banlieue. On ne sait jamais. Non, pas prudent! C'est encore une fantaisie dans ton genre. Enfin, ça ne me regarde pas.

— Non, ça ne te regarde pas.

— Je dis que ça ne me regarde pas. Je le dis par politesse et par esprit de conciliation. Ce n'est pas à toi de le répéter. C'est bon! Parlons d'autre chose.

Joseph siffla, doucement, une marche militaire. Puis il dit:

— Comment va Mademoiselle Strohl?

— Pas trop mal. Elle t'intéresse?

— Pourquoi pas? Tout m'intéresse. Hélène Strohl est une personne qui semble avoir du caractère. Ce n'est pas si fréquent que ça dans le petit monde où tu vis.

— « Petit monde » est admirable!

— Enfin, Laurent, estimes-tu que ce soit le grand monde?

— Heureusement non.

— Alors, si ce n'est pas le grand, c'est le petit. Un petit monde. Des savants, des penseurs, des intellectuels. J'appelle ça du petit monde.

— Bien, Joseph. Et que voulais-tu me dire au sujet de Mademoiselle Strohl?

— J'ai dit ce que je voulais dire. Qu'est ce que tu tiens dans ta main?

— Mon billet de mille francs.

— Je m'en doutais, malgré le noir. C'est absolument idiot.

— Je me demande ce qu'il y a d'idiot, quand on possède un billet de mille francs, à le tenir dans sa main.

— D'abord, si tu parles d'argent, tu n'as pas besoin de crier.

— Je te croyais plus courageux.

— Mon garçon, je suis aussi courageux que toi. Probablement davantage, bien qu'il n'y ait pas de contrôle. Mais, quand il s'agit d'argent, le courage n'a rien à voir. Les précautions s'imposent.

— Eh bien! calme-toi, dis-je en riant. Je vais le mettre dans ma poche, mon billet.

— Ça vaut mieux. Montre-le-moi d'abord.

— Pourquoi? Tu sais comme c'est fait. D'ailleurs, on n'y voit goutte. Non, je ne te le montrerai pas.

— Garde-le. Puisque tu fumes, donne-moi une cigarette.

— Joseph me prit une cigarette et poursuivit, la voix plus calme:

— Qu'est-ce que tu penses en faire, Laurent, de ces mille balles?

— Je te promets que tu le sauras.

— Parce que, vois-tu, Laurent... Mais, que je t'explique d'abord. Dire que tu as eu tort, ce soir... A parler franchement, non! L'argent, il faut l'attraper quand il y en a. Et, chez nous, c'est plutôt rare. Celui-là, de tante Mathilde, nous l'attendions depuis... avant d'être nés. Bon. Mais ce n'est pas tout de l'avoir. Il reste à le garder, Ça, c'est le plus difficile. C'est énormément difficile. Tous les gens sérieux te le diront.

La voix de Joseph, dans l'ombre, prit une inflexion presque suave presque caressante. Il reprit, suçant les mots:

— Si tu ne l'emploies pas tout de suite, le billet, tu peux me le confier, Laurent. On trouve de bons, de très bons placements, quand on a de l'expérience. Je dis du six, du vrai six et même du sept pour cent. Et pas des placements comme papa!

Joseph se prit à rire, mais sans éclat, sobrement.

— Non, poursuivit-il pas des placements de rêveur. Car, au fond, nous avons bien fait d'exiger des sommes tout de suite, pendant que l'argent était là. C'est toujours ça de sauvé. Le reste, il va le gaspiller, le vaporiser, pas l'ombre d'un doute. Quel dommage! Non, quel dommage! Et il n'y a rien à faire. Je peux tout lui proposer, le meilleur et le plus sûr. Il ne suivra que ses marottes. Allons, où vas-tu, maintenant?

Nous arrivions au pont de Saint-Maur. Il était faiblement éclairé par deux ou trois becs de gaz. A leur clarté sautelante, on apercevait la Marne, les berges pelées par place et les bateaux des pêcheurs. Un petit escalier de pierre descendait au bord de l'eau. Je m'y engageai, sans hâte. Joseph, tout à ses calculs, me suivit docilement.

— Si tu me le prêtes pour un an, je pourrai te donner six. Tu comprends: soixante francs. Si tu me le prêtes pour six mois, dame, je ne donnerai que quatre et ça ne fera que vingt francs. Maintenant, si tu désires participer à une affaire, une véritable affaire, avec des risques à partager, comme de juste...

Nous étions sur le bord de l'eau. On entendait le bruit soyeux de la rivière fendue par les piles du pont. Devant nous, éclairé par la lueur aérienne d'un réverbère, un ponton de bois, amarré pour les pêcheurs, dansait mollement à deux ou trois mètres de la rive. J'étais excellent sauteur. Je pris soudain mon élan et retombai sur le ponton. Joseph s'arrêta net au milieu d'une phrase. Je l'apercevais maintenant, sur la rive, les mains aux poches, son chapeau melon sur la tête. Il vociférait doucement :

— Voilà ! C'est du Laurent tout pur ! Et pourquoi ? Je te le demande.

— Alors, fis-je en me penchant un peu, tu ne viens pas me rejoindre ?

— Non, moi, je ne suis pas timbré. D'ailleurs, si tu restes là-dessus, je vais te fausser compagnie.

— Pas tout de suite, Joseph, écoute. J'ai quelque chose à te dire.

— Tu choisis bien ton endroit !

— Je le choisis mieux que tu ne le crois.

— Tu as des idées de suicide ?

— Non, tout le contraire, des idées de vie, Joseph. Écoute-moi, écoute-moi bien. Tu ne te rappelles peut-être pas qu'un jour... oh ! c'est vieux, tu faisais ton service militaire, ce fameux service qui vaut deux mille francs... nous habitions rue Guy-de-la-Brosse... un jour, nous nous sommes disputés toujours au sujet de l'argent. Tu disais des choses dégoûtantes, des choses épouvantables. Enfin, tu salissais tout ce que je respecte au monde. Alors, j'ai juré, devant toi, que mon premier billet de mille francs...

J'entendis la voix de Joseph. Une voix rauque, furieuse. Il était penché sur l'eau. Il criait sourdement :

— Toi, tu vas faire une folie. Toi, Laurent, tu vas faire une mauvaise action. Ah ! non de Dieu ! Ça n'a pas de nom.

— ... Alors, Joseph, j'ai juré que mon premier billet de mille francs, je le jetterais dans le feu, pour expier tes paroles, tes pensées, oui, tout ce que tu disais de la pauvreté, du désintéressement, des idées pour lesquelles on peut vivre et même mourir.

Joseph se mit à crier. Il remuait, sur la rive. Mais il était assez lourd et ne pouvait pas sauter. Il arracha, des deux mains, une grosse motte de gazon et me la jeta sans m'atteindre. Il criait :

— Imbécile ! Imbécile ! Je te donnerai des claques.

Je continuai de parler. J'étais soulevé d'une ivresse magnifique.

— Mon premier billet, Joseph ! Le voilà. Regarde-le bien. Je ne le jetterai pas dans le feu. J'y ai songé ; mais je ne veux pas que tu te brûles les mains. Alors, regarde, Joseph ! Je le déchire en deux. Et maintenant, en quatre. Et maintenant, en huit. Et encore et encore. Qu'est-ce qu'il y a ? Tu ris, Joseph ?

Joseph s'était mis à rire. Il dit, entre deux hoquets :

Ça ne prend pas. Ça ne prend pas. Ce n'est pas le vrai billet.

— Pas le vrai ? Bien, mon vieux. J'en garde un tout petit bout. Tu pourras contrôler. Et quant au reste, allez, ouste ! à la rivière ! Maintenant, retire-toi de là, je vais sauter sur le bord.

Joseph semblait soudain calmé. Il se tenait bien droit, les mains aux poches, respirant fort. Je ne voyais pas son visage, mais l'imaginais assez bien. Il dit :

— Tu mériterais que je te foute dans l'eau. Ah ! ne saute pas tout de suite, ça vaut mieux.

J'avais pris déjà mon élan. Je vins tomber dans l'herbe, à deux pas de mon frère aîné. Tout de suite, il fut sur moi. Il m'avait saisi le poignet et me secouait avec fureur. Je ne l'avais jamais vu si peu maître de lui. J'étais au comble de l'émotion et moi-même prêt à la violence.

— Mille francs! disait-il. Mille francs! Sais-tu que c'est presque un crime. Tu n'as donc pas assez d'imagination pour te représenter tout ce qu'on peut avoir avec mille francs?

— Je me demande, répondis-je en m'éloignant de quelques pas, je me demande ce que j'aurais pu acheter pour être, seulement de moitié, aussi content que je le suis.

— Alors, c'est tout, tu t'en retournes?

— C'est tout, c'est parfaitement tout. Je m'en vais à la maison.

— Mais, dit-il en titubant, et l'argent, et la galette?

— Ah! fis-je en revenant vers lui, tu as la berlue, Joseph. L'argent, il est dans l'eau, dans l'eau. On dirait que tu n'as pas encore compris.

Joseph repoussa, d'un coup de poing, son chapeau melon sur sa nuque. Il défit son foulard, le plia, le mit dans sa poche et respira deux ou trois coups jusqu'au fond. Il bégayait un peu:

— C'est une chose incompréhensible. Tu as fait ta blague et maintenant tu files comme un voleur. Attends, attends, je te suis. Tu ne t'en tireras pas comme ça. Ce ne sont pas des idées saines, pas des idées de chez nous, pas des idées françaises. Ça vient de tous ces brindezingues, de tous ces loufoques avec lesquels tu te baguenaudes. Mille francs! Tu dis que tu aimes ta mère. As-tu réfléchi, pour maman, à ce que ça représente, mille francs? Tu l'as vue travailler, maman?

— Joseph, pas de sentiment. J'ai tout pesé, pendant cinq ans. Tu sais que j'ai la mémoire longue. Pour ce qui est de maman, tu peux lui raconter la chose, si tu le veux.

— Non, fit-il en hochant la tête. Non, je ne lui raconterai rien. C'est une affaire entre nous. Une affaire qui n'est pas finie. Ces mille francs, après tout, étaient-ils complètement à toi?

— A qui penses-tu qu'ils étaient?

— Du moment que tu n'en voulais plus, ils retombaient dans la communauté, pour être juste.

— Ils étaient à toi, peut-être?

— En partie, certainement. Du moment qu'ils n'étaient plus à personne, ils étaient un peu à moi. Et même beaucoup à moi: malgré tout, je suis ton frère.

— Oui, et j'en suis bien désolé.

— Mon petit garçon, ça c'est à voir. Tu viendras peut-être, un jour, me demander de l'argent avec un joli sourire et la bouche en croupion de poule. Alors, je te rappellerai que tu me les as pris, mes mille francs.

Je me sentais suffisamment détendu pour sourire. Joseph répétait avec une obstination bafouilleuse:

— En somme, tu n'en voulais pas, puisque tu les as jetés. Alors pourquoi les as-tu demandés? Qu'est-ce que je dis? Exigés! Et tu n'en voulais pas!

— Mais si, mais si, j'en voulais.

— Pour quoi faire?

— Pour faire ce que je viens de faire. Pour sacrifier mille francs, il me fallait mille francs. Tu ne comprends pas?

— Eh bien! non, je ne comprends pas. Du moins je ne comprends pas ça. Mille francs! Tu aurais pu, à la rigueur... ce ne sont pas des choses que j'approuve, et même je déteste les chichis de ce genre là... N'importe, tu aurais pu les verser, si tu avais été un véritable humanitaire, un vrai philanthrope, quoi! comme tu laisses croire que tu es, tu aurais pu les verser à une œuvre de bienfaisance. J'en connais d'intéressantes. Ah! cette fois, tu es coincé. Qu'est-ce que tu trouves à répondre?

— Non, non, Joseph. Pour que le sacrifice ait tout son prix, toute sa valeur, il fallait faire... ce que j'ai fait. Pour les pauvres gens eux-mêmes, pour ceux qui ont besoin d'argent, qui meurent à cause de l'argent, il fallait que le billet fût complètement détruit, enfin un geste absolu.

— Tu dis comment?

— Ab-so-lu.

Nous étions maintenant sur la route. Jaillis des ténèbres humides, trois ou quatre feux lointains nous blessaient le fond de l'œil. Nous marchions côte à côte et, presque à chaque pas, dans la nuit, nos épaules se touchaient. Joseph dit, la voix lugubre:

— On s'entendra jamais, nous deux.

Puis il souffla brusquement, tel un chat qui va griffer. Et, soudain, il repartit à pousser des grondements. Il m'avait pris par le bras, comme s'il eût craint de me perdre. Il parlait d'un ton rabâcheur qu'on ne lui connaissait guère:

— Veux-tu que je te dise? Eh bien! je comprends maintenant. Papa? Tu ne l'aimes point. Ah! tâche au moins d'avoir le courage de ton opinion. Il t'inquiète, papa. Dis-le, il te fait peur. On ne sait jamais ce qu'il va bien imaginer. Et puis, il y a des choses que tu ne lui pardonnes pas. Si, si, mon garçon : tu es un homme sensible, et, pis encore, un délicat, un homme de beaux sentiments. Alors, certains jours, papa, tu le détestes, mon cher, et même il te fait horreur, surtout pour les histoires de femmes : Solange, et aussi Thérèse... je sais tout, j'ai ma police. Et, l'année dernière, la dame au bureau de tabac ! Enfin, il te fait horreur. Tu ne l'avoues pas, parce que tu es instruit et que les gens instruits comme toi ne savent plus parler franchement. Eh bien ! écoute-moi, Laurent : ce que tu viens de faire, oui, les mille francs, le sacrifice, les grands mots, etc..., mon cher, c'est du papa extra-pur, de l'essence de papa. C'est une de ces folies qu'il aurait sûrement inventées s'il avait appris plus jeune tout ce que tu te donnes beaucoup de mal pour apprendre. Ça t'embête, mais tant pis ! La vérité avant tout.

Je venais de secouer Joseph d'un rude mouvement d'épaule. Je ne voulais plus rien entendre. Je filais à grands pas. Alors Joseph s'élança, courut deux ou trois secondes, me ressaisit par le bras et reprit, la voix tranquille :

— Que je te dise encore une chose. Les mille francs... tu les regretteras. Tu verras si je me trompe.

CHAPITRE III

ABORD DE LA VILLE PAR EXCELLENCE. LE VOYAGE SUR LA SEINE. INTERMÈDE POUR ORCHESTRE. THÈMES DE LA TERRE PROMISE ET DU DESTIN FAMILIAL. MYSTÉRIEUSE INQUIÉTUDE.

LE lendemain, je partis dès le jour pour Paris. En ce temps-là, Créteil était encore aux frontières de la nature végétale. Passé la place de l'Église, notre tramway s'engageait sur la longue route d'Alfort. C'était une voie pavée, large, presque déserte, que, parfois, faisaient sonner les tombereaux des charroyeurs. Avec ses ruisseaux, ses rails, ses trottoirs, une telle route sentait la rue : elle était, dans sa substance et sa structure, comme une émanation, un rameau pierreux de la ville. Pourtant, elle offrait encore, à sa droite et à sa gauche, maintes échappées sur les champs. Une vraie terre besogneuse, avec des horizons, des charrues, des meules, des chevaux et des paysans qui labouraient, emblavaient, moissonnaient, enfin résistaient pouce à pouce, comme les derniers tirailleurs de la province en déroute. Le voyageur apercevait aussi les verdures d'un cimetière et de gros bouquets de feuillage noués lâchement par le ruban gris d'un mur. Venaient ensuite les masures et les clos des maraîchers, personnages hybrides, à demi paysans, ouvriers à demi, qui, derrière des murs jaloux, torturaient d'étroits lopins et leur faisaient, à force d'eau, de fumier, de cloches et de châssis, rendre d'énormes fardeaux de légumes qu'ils portaient eux-mêmes, la nuit, dans des carrioles somnolentes, jusqu'aux Halles de Paris.

Avant les derniers maraîchers, commençait la ville véritable. Elle poussait une avant-garde hideuse de pavillons rabougris, de bicoques disparates, de cabanes titubantes, faites de douves de tonneaux et de lambeaux de carton. La nature avait parfois des regains, des fantaisies. On découvrait de vieux jardins plantés d'arbres vénérables, ou même un champ prisonnier. Puis revenaient les guinguettes, les tonnelles, les bistros minuscules à la façade enluminée qui s'empanachait de fusains. Plus loin, se répandait le butin des chiffonniers dont les huttes semblaient pâturer les tessons et les escarbilles. Et, soudain, présentant aux terrains vagues ses falaises de meulière brute, surgissait un immeuble de quatre étages, avec un épicier perdu, des fenêtres à brise-bise, de la literie rose tendre qui respirait sur des balcons. Puis, des chantiers et, délectable, l'odeur d'une colline de sciure fraîche. Puis, de nouveau, par légions, des cabanes rapiécées, grelottantes même au soleil, teigneuses, cyniques, inconsolables.

Dès Alfort commençait la ville continue, la ville dure et cohérente. Pourtant, au long des avenues, des boulevards ou des quais, revenait, par taches, par plaques, telle une mauvaise pensée, telle une maladie tenace, la détresse de la banlieue. Souvent, après un grand morceau de ville propre et soignée, s'ouvrait un nouvel ulcère, une sombre cour des miracles, avec des cahutes pourries, des montagnes de détritus, des meutes d'enfants vermineux, des hommes et des femmes farouches, des odeurs d'Orient lugubre, pluvieux, haineux, maudit. Et quand on approchait des portes, quand on commençait d'entendre parler, rire et chanter Paris, alors éclatait la « zone », le grand camp de la misère qui, de partout, investit la ville illustre et magnifique.

Ainsi donc, à chaque voyage, avant d'atteindre le lieu de mon travail, de mes soucis, de mes pensées, il me fallait, au gré du tramway brimbaleur, traverser toute cette pouillerie, en recevoir les reproches et les avertissements. Je ne m'y suis jamais fait.

Parfois, par dégoût, peut-être aussi par honte, quand je n'étais pas trop pressé, je quittais le tram à vapeur dès le pont de Charenton et j'achevais le voyage en bateau mouche.

Ces petits bateaux étaient alors une des grâces de Paris. Les jours de semaine, au départ ils naviguaient à peu près vides. Bons refuges de mélancolie que hantaient comme des ombres, quelques passagers frileux.

Était-ce de mélancolie que j'avais faim, ce matin-là? Non, certes. Il me fallait de la joie, de l'enthousiasme, et surtout de l'apaisement, je dis bien, de la rémission. Ma promenade avec Joseph m'avait rempli d'orgueil et, pour des raisons qu'il me faudra donner quand même, rempli d'inquiétude aussi. Parfois, l'inquiétude cédait, je me sentais promu chevalier du génie, de l'abnégation, de l'honneur: j'avais confessé ma foi, proclamé le triomphe de l'esprit sur la matière. J'avais fait, à la plus noble des causes, un sacrifice considérable. Je ne le regrettais pas, je ne le regretterais jamais... Pourtant, mieux que personne, j'en pouvais mesurer l'étendue, puisque, en cette fin de saison, le vêtement que je portais se tenait avec peine aux limites de la décence et presque de la propreté. Mes chaussures étaient percées, volontiers hydrophiles. Quant à mon chapeau, quant à mon linge... Tant pis! J'étais pour longtemps, par la force de la pensée, vêtu, chauffé, nourri. J'avais tenu ma promesse, rempli enfin... oui, rempli mes engagements.

Une cloche prit l'essor et le bateau démarra. Nul voyage, semblait-il, ne pouvait, mieux que celui-là, me confirmer dans ma grandeur. Le bateau, quelques instants, divisait en longs plis verts l'eau nonchalante de la Marne. On passait sous le pont du chemin de fer, puis sous une passerelle allègre et, tout de suite, on parvenait au confluent du fleuve et de la rivière. Un vaste paysage aquatique, ivre de ciel, un carrefour de bourrasques, un congrès de lumières, une conjoncture de puissances, une fête géographique permanente, intelligible principalement aux âmes ennoblies par des actions difficiles.

Entrevue dans l'éloignement, la ville était basse, éparse, presque villageoise. Elle se montrait, à cette époque, vierge des walhallas de ciment qu'on y admire aujourd'hui. Les berges s'inclinaient vers le courant en belles pentes paresseuses sur lesquelles on voyait, comme dans les vieilles estampes, déambuler des promeneurs, dormir un tâcheron, vagabonder un chien. On ne sentait plus, du bateau, la disgrâce des hommes et des choses. On apercevait des maisonnettes plaisantes qui pouvaient être des auberges, les demeures des bateliers, des calfats, des passeurs d'eau. Point n'est besoin de s'éloigner beaucoup pour défigurer le réel et pour partir en rêverie. On pouvait imaginer des voyages, des Danubes, des Volgas, des fuites, des expéditions, des conquêtes.

Alors venait un grand et gros pont couronné de fumées, de réverbères, de convois. Et, tout aussitôt, sur la rive, fourmillaient des milliers de tonneaux, tous les trésors de Bercy. Je saluais, au passage, ces boissons insipides : j'avais bu d'un vin plus fort. J'étais debout, à l'avant — je disais, au fond de mon cœur, à la proue. — C'était un de ces bateaux découverts que l'on avait lancés pour l'Exposition. Un vent presque marin tourmentait mes songeries. « Oui, vraiment, j'avais bien fait. On parlait trop souvent d'argent, chez nous, chez les Pasquier. Malgré son grand effort et malgré sa victoire, papa lui-même était gagné par les promesses de Mammon. Ferdinand se consumait dans de petites convoitises. Joseph, oh ! Joseph ! Il était prêt à donner son âme pour l'anneau de Fafner. Son âme ! Il l'avait déjà donnée, le malheureux ! Cécile était admirable, sans doute, et déjà si loin de nous, déjà sortie de notre jeu — Cécile était en péril, avec ce mariage impossible. — Restait la pauvre maman. Oh ! elle n'était pas coupable, seulement fascinée, seulement tiraillée, seulement écrasée de tout. Était-ce ainsi, par ces chamailles, ces petits comptes, ces chipotages, qu'il convenait de célébrer notre entrée dans la terre promise? Car c'était la terre promise. Notre père avait touché le but de toute sa vie. Nous commencions une vie nouvelle. Nous accédions, enfin, dans les vertes vallées de l'intelligence. Et c'était pour y quereller à propos de sous et de liards. Quelle honte! Non, il était grandement temps de faire quelque chose d'extraordinaire, de rédempteur, de purificateur. C'était fait... du moins en partie... ».

A ce point de mes réflexions, je sentis que l'inquiétude allait empoisonner ma joie. Une inquiétude toute semblable au remords. « C'était fait? Non, je n'étais pas quitte. Il y avait quelque chose qui demandait révision. Ah! que c'était difficile! »

A ce moment, nous croisâmes un train de chalands. Notre bateau se prit à danser. De grands coups de sifflets sourdaient des gares couchées tout le long du fleuve. Entre les jambages du pont d'Austerlitz apparurent Notre-Dame et les hautes maisons des îles. Le cœur me sauta dans la gorge. Le paysage s'élevait à la mesure de mon tourment. Le fleuve, avant de se partager, se gonflait, semblait prendre une respiration heureuse. J'apercevais, sur la gauche, oasis de souvenir, les arbres du Jardin des Plantes, de notre cher jardin des bêtes sauvages, où campait déjà l'automne. Les rives, chargées de convois, de chevaux, de foules en marche, dialoguaient par-dessus les eaux. Le petit bateau s'engagea dans le passage, entre les îles, entre les quais pareils à de hautes forteresses de grès et de granit, et, soudain, s'ouvrit aux yeux, récompense délicieuse, féerie, magie, mirage, le cœur, le milieu, le sanctuaire de la ville par excellence, une plaisante et noble assemblée de tours, de temples, de palais, de ponts ailés, de maisons doctes, d'hôtels austères, de bâtisses folles, de toits fumeurs, d'arbres captifs, de jardins et de statues, un sublime concert d'eau, de ciel et d'œuvres humaines qui toutes avaient une histoire, un sens, une destinée, enfin Paris, bien sûr, ou pour mieux dire, le Paris d'un garçon de dix-neuf ans qui vient de faire une chose assurément difficile, assurément belle et méritoire, mais dont il n'est pas très content pour certaines raisons sur lesquelles il sera nécessaire de s'expliquer tôt ou tard.

CHAPITRE IV

UNE MAISON DE LA RUE SAINT-JACQUES. CONTRASTES PARISIENS. PORTRAIT DE LÉON SCHLEITER EN 1900. LE SAVOIR ET LE POUVOIR. APPLICATION DES MÉTHODES MATHÉMATIQUES EN BIOLOGIE. UNE VISITE MATINALE. TENTATIVE DE CONFIDENCE. INTERVENTION DE L'ESPRIT CRITIQUE.

Léon Schleiter est mon aîné de beaucoup. Si j'en crois les annuaires, il devait avoir vingt-sept ans à l'époque où prend mon récit. Il habitait, rue Saint-Jacques, en face de la Sorbonne, une maison qui s'accrochait comme une gale fuligineuse au flanc du Collège de France et qu'une sage rectification a, depuis, fait disparaître.

C'était, pour un jeune savant de la qualité de Schleiter, une demeure très misérable. On y fleurait, connaissant l'homme, dès le corridor d'entrée, une sorte d'affirmation politique ou plus exactement sociale qui me pénétrait de respect, presque d'enthousiasme. Un escalier étroit, branchu comme une artère, s'élevait dans le milieu de la baraque et distribuait en tous sens des galeries tortueuses, coupées de marches, sur lesquelles s'ouvraient une foule de menus alvéoles. Des ouvriers gîtaient là, des femmes du pays latin, des vendeurs à la petite voiture, un peuple assez paisible. L'escalier prenait jour sur une courette vêtue de suie veloutée. A chaque palier, les habitants pouvaient, par la fenêtre, répandre leurs eaux ménagères dans des plombs dont, au passage, on respirait le souffle ammoniacal.

Il était surprenant de rencontrer, en plein cœur du quartier savant, cette masure insolente qui devait avoir vu passer, au temps de sa jeunesse, les pèlerins en route pour la Corogne et Saint-Jacques de Compostelle. On peut, encore aujourd'hui, découvrir, entre l'École Polytechnique et le Collège de France, dans l'ombre de Sainte-Barbe et de Louis-le-Grand, sous le regard du Panthéon, des églises, des bibliothèques, un des plus odorants réduits de la misère parisienne.

Léon Schleiter, maître et camarade, était alors préparateur en Sorbonne, au laboratoire de physiologie, et assistant de M. Dastre. Nous admirions fort Schleiter. Il avait soutenu, l'année précédente, une thèse non pas brillante mais, exactement, monumentale sur la structure des graisses phosphorées dans les œufs d'oiseaux. A nos yeux, cet ouvrage, presque en son entier fait de chiffres et de formules chimiques, représentait la charte de notre science, la somme de toutes les idées raisonnables sur la vie. A vrai dire, dans cet ouvrage, Schleiter se bornait encore à développer les idées de M. Dastre. Il y apportait un dogmatisme intempérant que nous trouvions magnifique, encore qu'il nous valût toutes sortes de rebuffades : Schleiter n'était pas un tendre.

Il était fils d'un petit tailleur de la rue d'Aboukir. Il avait vu son père, assis à l'orientale au bord de l'établi luisant, se racornir et se consumer sous une lumière de cave. Il avait mené longtemps, dans l'odeur des vieilles nippes, une existence torturée d'ambition. Et, d'effort en effort, par le jeu de puissances obscures et de hasards éclatants, le petit garçon du tailleur s'élevait, maintenant, très vite, dans la nouvelle gloire des temps, la gloire scientifique.

Je dis s'élevait et non s'épanouissait: il y a, dans le mot et dans l'idée d'épanouissement, quelque chose de souple, de libre, enfin quelque chose d'heureux qui me semble incompatible avec la personne de Schleiter. J'aurai sûrement l'occasion de revenir à Schleiter, dans ces pages et les suivantes. Il a tenu et tient encore une place dans mon univers. Je dois, en son honneur, dévier un peu mon récit. Léon Schleiter, à cette époque, était maigre, de haute taille, bistre de cuir et noir de poil, avec la moustache et la mouche. Il avait le visage mince, aplati latéralement, en sorte que, dans le souvenir, il se présente de profil. Il portait un binocle sur un long nez membraneux. Ce nez, la structure germanique de son nom, la rigueur de ses opinions pendant l'affaire Dreyfus le faisaient traiter de juif par ses adversaires. Il répétait volontiers: « Je regrette de n'être pas juif. » Il ajoutait tout aussitôt: « Malheureusement, je ne le suis pas. » Il avait été, il était, il est encore dreyfusiste. Ainsi disait-il alors, pour protester contre ce qu'il appelait les désinences péjoratives. Au moment où s'ouvre le présent récit, Léon Schleiter venait de se jeter, avec une passion sèche et noire comme sa personne, dans la politique socialiste, nuance Guesde, ou plutôt nuance Schleiter, c'est-à-dire dans un socialisme d'extrême-gauche qu'il imprégnait de syndicalisme.

Je ne voudrais pas, dans le choix des mots et la démarche des phrases, laisser croire, même un seul moment, que je juge sans complaisance le personnage et la destinée de Schleiter. Il est aujourd'hui de ces savants assez nombreux, somme toute, qui ont, de bonne heure, déserté le laboratoire et le délicieux tourment de la connaissance pour les aventures de la vie publique. Je me suis longtemps demandé, songeant à Léon Schleiter, si l'ivresse de la popularité, la passion de l'influence, ou même le jeu des idées pouvaient vraiment faire hésiter un homme de haute culture entre deux destinées, deux carrières, deux fortunes, celle du savoir et celle du pouvoir, j'entends de ce pouvoir évident, sensible, grossier, qu'est le pouvoir public. A la réflexion, il me semble bien que les vrais savants quittent la recherche quand ils n'en retirent plus rien. — Je reste dans l'ordre moral. — Les mathématiciens surtout — j'y ai pensé bien souvent à propos de Paul Painlevé — voient, comme certains lyriques, leur génie tari de bonne heure. Ils se jettent alors dans l'action parce que la méditation n'a plus à leur narine qu'une odeur de cendre froide.

Ces réflexions ne nous écartent pas trop du biologiste Schleiter. Il a, des premiers, appliqué la rigueur mathématique aux sciences de la vie. Bien qu'il fût au principe de cette grande révolution, M. Dastre disait de Schleiter et de nous tous, en ce temps-là : « Je me fais l'effet d'une poule qui a couvé des canards. » Schleiter était un mathématicien égaré dans l'observation des êtres vivants. Il a vite perdu la flamme de son génie. Je suis sûr qu'il en a souffert et c'est sans doute la raison de ses ardeurs politiques et de sa froide austérité.

Je ne pensais guère à ces choses en gravissant, ce matin-là, l'escalier de la rue Saint-Jacques. J'étais tout à mes combats, tout à mon orgueil. Il me fallait une sanction, l'assentiment d'un homme de ma caste morale. Et voilà pourquoi je venais frapper chez Léon Schleiter.

Il était déjà debout et vint ouvrir aussitôt. Il disposait, dans cette masure extravagante, d'un logement assez confortable, comportant deux chambres, une cuisine, un semblant de vestibule. Les chambres donnaient sur la rue Saint-Jacques et les murailles de la Sorbonne, horizon vertueux qui faisait oublier tant bien que mal l'ombre et les odeurs de l'escalier. Le logis de Schleiter était en outre fort propre et d'un ordre sourcilleux. Il vint donc m'ouvrir lui-même, le rasoir aux doigts, car il était en train de se faire la barbe.

— C'est une charmante surprise, dit-il d'un ton sec et serré que je connaissais assez bien et qui ne me déroutait guère, car il exprimait, chez Schleiter, la plus grande ouverture du cœur. Et qu'est-ce qui me vaut ce plaisir?

— Oh! fis-je, l'accent détaché, rassurez-vous: rien de grave.

— Rien de grave, sans doute; mais quelque chose de sérieux?

— Non, Schleiter, non, rassurez-vous.

— Je suis rassuré par principe et presque par définition. Asseyez-vous dans le fauteuil. Si vous le permettez, je vais en finir avec cette barbe. Vous savez que c'est un supplice, car j'ai le poil très dur. Alors? Visite matinale, tout simplement? C'est parfait.

— Ce n'est pas ce qu'on appelle une visite. Je pensais venir au labo, sachant que vous y seriez.

— Et quelque pressant besoin vous y fait devancer l'heure. Bien. Attendez une seconde que je me trempe la tête dans l'eau. Et maintenant, je vous écoute.

— Schleiter, dis-je en me levant, je vous affirme que c'est une chose sans importance.

— Oh! je le vois bien, je le vois bien, rien qu'à votre calme exemplaire. Alors, vous préférez ne pas rester assis?

— C'est-à-dire qu'un peu de mouvement...

— Croyez-moi, Pasquier, faites un petit effort et restez dans le fauteuil ne serait-ce que par discipline, pour maîtriser vos nerfs.

— Je ne suis pas nerveux. Excusez-moi, Schleiter.

— Mon cher, je ne fais que ça.

— Vous connaissez mon frère aîné?

— Je le connais... C'est beaucoup dire. Je l'ai vu trois ou quatre fois.

— Je voudrais vous déclarer tout d'abord que mon frère aîné, Joseph, est un garçon remarquable.

Schleiter se tourna vers moi, rajusta son binocle, me considéra pendant une minute avec beaucoup d'attention et dit, la voix mince:

— Vous donnez sans doute, en ce moment, une démonstration de ce que peut l'esprit de famille, oui, même sur un jeune homme indépendant et d'intelligence critique. Voyez-vous, Pasquier...

— Ah! fis-je en sortant du fauteuil, j'ai fait, hier soir, une chose dont il faut absolument que je vous parle.

Schleiter avança la main, l'index un peu relevé.

— Attention, dit-il. Attention! Vous êtes bien agité, mon cher.

— Évidemment, fis-je, baissant la tête. Je tâcherai de tout vous dire. C'est une chose étonnante.

— Toute réflexion faite, reprit Schleiter, pendant qu'il en est temps encore, je vous prie, mon petit, de ne rien me dire du tout.

Malgré l'aimable « mon petit », qu'il imitait de M. Dastre, cette phrase me laissa stupide.

— Ne rien vous dire... je vous assure... Enfin, qu'est-ce que vous croyez?

— Je ne crois rien, je ne crois rien. Je vous vois très excité. Je pense, autant que je puisse me livrer aux hypothèses, que vous avez fait quelque chose dont vous n'êtes pas très content. Alors, parce que j'ai de l'expérience et que je m'intéresse à vous, mon petit Pasquier, je vous dis: faites-moi la grâce de garder votre confidence.

— Pourquoi donc? Imaginez-vous que j'ai fait une action malhonnête?

— Je ne dis pas ça, certainement. Je suis même sûr du contraire. Je crois pourtant que vous me remercierez d'avoir dit ce que je viens de dire. Si vous parliez, en ce moment, vous le regretteriez ce soir. Croyez-moi, mon petit: je connais les hommes. Quand on doit travailler ensemble, il faut beaucoup de réserve. Et maintenant, allons au labo, puisque c'était votre idée et que je ne vais pas autre part.

Allons, calmez-vous, Pasquier. Attendez, je vais fermer la porte.

Il avait pris, à la patère, le chapeau de feutre noir et léger qui était alors, chez les gens de science, la coiffure d'uniforme, en petite tenue. Il me poussa par l'épaule.

— Ça vaut beaucoup mieux comme ça. Si nous voulons vivre ensemble et travailler utilement, méfions-nous, mon petit, méfions-nous de l'intimité, des secrets, des confessions, de tout ce batifolage. C'est du romantisme, Pasquier, ce n'est pas du laboratoire.

Nous étions dans l'escalier au carrelage cahoteux. A chaque fenêtre, les plombs nous envoyaient un souffle de dent cariée. Schleiter regarda vers le ciel et dit :

— Il va pleuvoir encore. C'est un automne lamentable.

CHAPITRE V

SOLITUDE AU LABORATOIRE. HÉLÈNE DE NOTRE JEUNESSE UNE EXPÉRIENCE COMPROMISE. LÉGER PLONGEON DANS LE MONDE WEILL. PROMENADE SENTIMENTALE ET PHILOSOPHIQUE. JARDIN SOUS LA PLUIE. UNE DESTINÉE EN FUITE. PROPOS DE LA VINGTIÈME ANNÉE. RETOUR NOCTURNE. CES ERREURS QUE FONT LES MÈRES. LUEUR SOUS UNE PORTE.

LE laboratoire de physiologie occupait, occupe encore l'angle méridional et oriental de la Sorbonne. Les salles de travail regardaient soit la rue Saint-Jacques, soit la morose rue Cujas, soit une cour intérieure où se lamentaient les chiens promis aux expériences.

Pendant nos longues vacances, le laboratoire était désert .On y faisait, à petit train, le lessivage des peintures, toilette à laquelle notre maître, le professeur, attachait beaucoup d'importance. L'équipe Schleiter, composée de Vuillaume, de Roch, d'Hélène Strohl et de moi, revenait parfois se mettre au travail dès l'extrême fin de l'été. Schleiter aimait la discipline et trouvait les vacances amollissantes. Un septembre laborieux l'enchantait: point d'élèves, peu de bruit. Les peintres achevaient leur tâche et pliaient déjà bagage. « Schleiter a raison, disait Roch. C'est un moment si calme qu'on attraperait, au vol, une des lois de la nature, comme ça, sans le faire exprès. »

Dans le bourg de la banlieue dont il était maire, M. Draste demeurait alors à composer, en rêverie, son traité sur la taille des arbres, ce beau traité de jardinage qui n'a jamais vu le jour. Nous savions qu'au milieu d'octobre le maître reviendrait parmi nous, bienveillant, attentif, courtois, tels on veut imaginer les gentilshommes de légende.

— Si vous permettez, me dit Schleiter, je vais prendre mon café noir.

Je le suivis dans un bar du boulevard Saint-Michel. Il n'était certes pas avare, mais strict dans ses dépenses. Il dit :

— Voulez-vous du café?

Je refusai, prétextant que j'en avais eu chez moi. En fait, le parfum du café me donnait grande envie d'en prendre, mais je restais humilié de notre entretien récent. Nous remontâmes vers la Sorbonne.

— Votre amie, Mademoiselle Strohl, disait Léon Schleiter, doit être au labo de bonne heure. Elle me fait des tracés.

Cette nouvelle me remplit d'un contentement que je ne manifestai point. Comment donc avais-je pu, même dans l'espace d'un instant compter sur ce noir Schleiter, sur le cœur de Schleiter, sur cet esprit de finesse, alors que j'avais Hélène?

Hélène était, depuis deux ans déjà, ma condisciple et mon amie. Elle était venue de Belfort, sa ville natale, pour préparer à Paris une licence qu'elle avait obtenue, en même temps que moi, pendant la session d'été.

C'était alors une belle fille, droite, un peu plus grande que moi. Elle était blonde, avec des traits bien dessinés, un teint frais mais non fragile, cet air d'allègre santé que l'on voyait sur les affiches, aux jeunes femmes de Chéret. Elle marchait à grands pas et portait des jupes à la cheville, ce qui, pour l'époque, était assez cavalier. Sur ses beaux cheveux en couronne, elle piquait lestement un petit canotier de feutre. Tout cela, qui contribuait à lui donner, selon son vœu, une allure libre et masculine, ne l'empêchait pas d'être femme, très belle et volontiers rieuse.

Je viens, en faisant ce portrait, de fermer les yeux avec force, pour mieux retrouver, derrière cent images successives, notre Hélène de ce temps-là.

Hélène était au travail, serrée dans une blouse neuve encore durcie d'empois. Elle avait le regard fixe et les lèvres frémissantes d'une personne qui calcule intérieurement. Elle me fit quand même un geste amical en me montrant un tabouret. Une belle clarté froide baignait le travail d'Hélène. J'apercevais, sur une tablette de liège, une grenouille crucifiée. Le mollet de l'animal avait été disséqué. Sur un muscle mis à nu, tiré par un fil de soie, étaient piquées des aiguilles électriques. L'appareil enregistreur tournait à la droite d'Hélène. Un trait fin comme un cheveu se propageait sur le cylindre noirci. Hélène tenait le chronomètre d'une main et de l'autre un crayon.

— Hélène, fis-je, à voix basse, je suis heureux de vous voir ce matin. Je ne peux pas vous dire à quel point je désirais votre présence.

Hélène sourit, baissa ses paupières ornées de longs cils couleur tabac et ne répondit pas tout de suite. Puis, la voix calme et chantante:

— Bonjour, Laurent! Qu'est-ce qui vous arrive, mon petit? Huit... neuf... Vous avez ce regard bleu clair, comme Monsieur votre... Attendez! Dix, onze, douze... comme Monsieur votre père quand il n'est pas à la bonne. Ah! il ne faut pas dire cela? Ce que vous pouvez être... Treize, quatorze... Vous allez me faire gâcher toute mon observation... susceptible. Oui! Ce que vous l'êtes, susceptible! Laissez-moi tranquille un instant. Je ne sais plus ce que je fais... Allez! tournez-moi le dos.

Hélène se remit à compter. Parfois, elle s'arrêtait, la bouche entr'ouverte, et j'apercevais ses dents qui étaient belles à voir. Alors elle secouait la tête. J'affectais de me tourner et je distinguais, affichée sur le mur, la sage maxime de M. Dastre: « Ici, chaque objet a une place. Prière de remettre chaque objet à sa place. »

— Hélène, dis-je tout à coup. Je suis très malheureux. Non, non, ne m'écoutez pas. Je ne suis pas très malheureux. Peut-être même suis-je très heureux. Je ne sais pas: il faut que nous voyions cela ensemble. Attention! Votre grenouille n'est donc pas curarisée? Qu'est-ce qui lui prend? Je n'aime pas ces convulsions.

— Ne vous inquiétez pas, homme sensible. Faites seulement le nécessaire pour vous retenir de parler. Vingt-cinq. Oui, oui, vingt-cinq. Je ne sais plus où j'en suis. Vous êtes insupportable. Si Schleiter venait, il vous traiterait d'artiste, de fantaisiste, et encore je ne sais plus de quoi. Et il aurait raison.

— Oh ! soufflai-je, dans une moue, Schleiter est avec les chiens. Écoutez-les râler, les chiens. Hélène, il faut que je vous parle.

— Eh bien ! mon petit, c'est tout simple. Nous sortirons ensemble. Jusque-là... Quarante-deux. Oh ! Vous me portez sur les nerfs. Enfin, quand vous étiez dans les surrénales, moi, je ne vous tracassais pas. Quarante-quatre... Non ? Vous ne voulez pas que nous sortions ensemble ?

— Si, oh ! si, mais pas ce matin. Plus tard.

— Je pense bien. J'en ai pour jusqu'à trois heures. Après, eh bien ! après, invitez-moi donc à goûter. Oh ! nous ne ferons pas de folies.

— A trois heures. Merci, Hélène. Est-ce que je peux rester quand même ?

— Non, Lau. Non. Travaillez. Allez aider Schleiter. Enfin, je vous dis que si vous restez là, je vais faire des bêtises. La paix, mon petit Laurent, la paix !

— Hélène, pas Schleiter ce matin. C'est un homme très intelligent, mais c'est une cervelle hémi-perméable. Je me comprends, je sais ce que je dis. Ce matin, il m'exaspère. Je vais à la bibliothèque.

— Allez au diable, mon petit Lau.

— Oh ! Hélène, si vous saviez...

— Eh bien ! n'allez pas au diable. Allez à la bibliothèque et, surtout, ne revenez pas. Vous êtes gentil, Laurent. Je vous aime beaucoup, Laurent.

Je haussai les épaules et m'en fus dans la bibliothèque. Je passai là près d'une heure à feuilleter les bulletins et prenant de très vagues notes. Puis je sortis sans bruit et filai d'une seule haleine jusqu'au boulevard de l'Hôpital.

Mon ami Justin Weill habitait chez ses parents, qui dirigeaient une petite compagnie de fiacres et vivaient en comunauté, avec deux frères et leur famille. A cet instant de septembre, Justin devait être aux champs près de Jouy-en-Joas. Comme j'avais mes entrées dans la demeure familiale, je gagnai directement le bureau de M. Weill.

C'était un Israëlite replet, petit, chauve, à lunettes d'or, toujours vif et d'humeur gaie. Il m'aimait comme le meilleur et le plus sincère ami de son fils.

— Monsieur Weill, dis-je en entrant, pensez-vous que Justin vienne à Paris aujourd'hui?

Monsieur Weill secoua la tête.

— Non, mon ami. Justin travaille. Et ne va pas croire qu'il s'agit du doctorat en droit. Non. Un drame shakespearien, en cinq actes et trente-sept tableaux, quelque chose d'époustouflant! Bien entendu, je ne sais rien, nous ne savons rien, ni les uns, ni les autres. Et il y faut de la bonne volonté pour ne rien savoir, pour ne pas l'entendre déclamer dans tous les coins les vers de son *Ezéchiel*. Ça s'appelle *Ezéchiel*. Et même, ce n'est pas mal, bien que je ne m'y connaisse guère. Tu n'as pas l'air très réjoui.

— Monsieur Weill, dis-je tout à trac, j'ai fait la sottise de quitter Créteil, ce matin, sans emporter d'argent. Pouvez-vous me prêter vingt francs?

— M. Weill se prit à rire, ouvrit sa caisse et me tendit un louis d'or. Il disait:

— Veux-tu davantage?

— Non, fis-je, merci, monsieur. Je le rapporterai demain, ou après-demain.

M. Weill fit le geste d'un homme qui n'est pas pressé. J'étais déjà dans la rue; déjà, le sang refroidi, je m'en retournais à pas lents vers le quartier des écoles. Un Laurent faisait, dans le fond de mon cœur, des comptes assez misérables qu'un autre Laurent repoussait avec mépris.

Je déjeunai, pour quatorze sous, non pas chez notre petit traiteur de la rue Thénard, — je craignais d'y rencontrer Schleiter ou quelque autre de mes copains, — mais dans un bistro du quai. Ensuite, je fis, tout seul, une promenade assez morose en affrontant sans succès diverses pensées discordantes. Enfin, vers trois heures, je regagnai la Sorbonne. Un ciel pesant, venu de l'Ouest, frôlait le faîte des maisons. Hélène m'accueillit par un rire.

— Eh bien! dit-elle, c'est fini. Scheilter m'a même gratifiée de quelque chose d'analogue à une mention honorable. Et ce n'est pas votre faute, Laurent. J'ai presque mal à la tête. Où m'emmenez-vous?

— N'importe où. Par exemple, au Luxembourg.

— C'est une solution commode.

Nous marchions côte à côte le long de la rue Soufflot. Hélène portait, pour la rue, un long vêtement imperméable qu'on appelait waterproof et que je trouvais d'une élégance accomplie. Elle tenait sous le bras une serviette de cuir, bien sage, pleine de livre. Elle dit:

— Qu'est-ce qu'il y a, Laurent?

— Il y a, fis-je tout bas, que je suis très malheureux.

Elle me regarda furtivement et sourit à peine.

— Avec vous, dit-elle, tout est possible, même ça.

— Hélène, repris-je aussitôt, vous savez que j'aurai vingt ans à la fin de l'hiver qui vient.

— Je sais, mon petit, je sais. Et même, ce n'est pas charitable de me rappeler ainsi que je suis votre aînée de deux ans. Voilà! Presque une vieille dame.

Je ne répondis pas tout de suite: je digérais le « mon petit » Décidément, M. Dastre avait contaminé tout le monde.

— Hélène, repris-je enfin, vous êtes vraiment mon amie. Il faut m'écouter en amie.

Nous venions de passer la grille du Luxembourg. Hélène eut alors un de ces gestes gracieux dont elle n'était pas avare. Elle me prit la main et la section, la garda finalement une minute dans la sienne. Elle souriait:

— Nous avons l'air de deux amoureux. C'est délicieux et sans danger.

— Hélène, dis-je tout à coup, je vous raconterai plus tard mon histoire d'hier, une histoire qui n'est pas simple. Mais j'ai, d'abord, mille choses à vous dire. Promettez-moi de ne pas vous moquer de moi. Je suis à l'âge... Comment dire? C'est presque ridicule.

— Mais non, mais non, fit Hélène en fermant à demi les yeux. Mais non, ce n'est pas ridicule.

— Ce que je sens plus fort que tout, c'est un grand besoin d'amour. Voilà! Pas d'autre mot. Un grand, un vrai, un terrible besoin d'amour.

Hélène s'arrêta, la tête basse. Elle était soudain sérieuse et rougissait par bouffées. Elle murmura:

— Je crois que je comprends très bien.

— Et voilà, repris-je en frappant le sol du pied, voilà ce qui me désespère, c'est que je ne peux pas aimer, que, moi, je ne dois pas aimer, enfin que je n'en ai pas le droit.

Hélène releva la tête.

— Expliquez-vous, Laurent, parce que je ne comprends plus.

— Venez, fis-je en lui prenant le bras et en l'entraînant dans l'allée. Comment vous expliquer les choses cachées de ma vie? Dire que l'amour me fait horreur, croyez-vous que ça ne me déchire pas? Alors, vous qui devinez tout... Si, Hélène, vous êtes la femme la plus intelligente du monde... Vous êtes venue chez nous, vous connaissez mon père. C'est un homme admirable, par certains côtés. Pourtant, je me suis juré, voilà quatre ou cinq ans, de faire tout le contraire, rigoureusement tout le contraire de ce que faisait, de ce que fait toujours mon père.

Il y eut une petite pause. Hélène dit, doucement:

— Votre père a des maîtresses?

— Comment le savez-vous?

Hélène hocha les épaules.

— Mon Dieu, ça peut se deviner.

— Eh bien! c'est parfaitement exact. Non, je ne devrais pas dire ça: c'est une expression de mon frère Ferdinand.

— Vous n'aimez pas Ferdinand?

— Si, mais laissons Ferdinand. J'en parlerai tout à l'heure. Oui, mon père a des maîtresses et il n'y a rien à faire.

— Je me demande vraiment ce que vous voudriez faire.

— Oh! je suis une mauvaise tête. J'ai fait plusieurs tentatives. Rien à faire. Papa, c'est une muraille. On ne peut rien contre lui. Une muraille. Il est imposible. Il est effrayant. Il a plus de cinquante ans et il ne songe qu'aux femmes, ou plutôt il ne songe qu'à la femme. Je ne peux pas tout dire. Certaines fois, il y aurait de quoi rire. Il nous faudrait une servante, à la maison, maintenant que nous sommes des bourgeois, comme dirait Schleiter. Eh bien! nous savons tous qu'une servante, même laide, serait probablement impossible. Il a fallu trouver autre chose... Laissons cela. Penser aux femmes! Moi aussi, je pense aux femmes. Et je me demande parfois si je ne suis pas, moi, Laurent, par dérision du sort, tout le portrait de mon père. Et c'est désespérant, parce que mon père me révolte et même parce qu'il me dégoûte. Je sais que c'est inavouable. Et ce n'est pas tout: Cécile! Cécile, c'est une autre histoire. Je ne devrais pas la nommer tout de suite après... Cécile, vous l'avez entendue. C'est une personne du ciel, comme disait autrefois l'impossible Valdemar. Ce n'est peut-être pas sensé de parler ainsi de ma propre sœur. Ce n'est sans doute pas très modeste. Mais quoi! Cécile a du génie. Elle est fière, elle est hautaine. Elle vit parmi nous comme une envoyée, comme un être d'une autre race. Quand elle joue, le monde entier se tait pour l'entendre. Je vous assure, même Paula Lescure dans la salle à manger — mais Paula n'a pas besoin de se taire, elle ne fait jamais de bruit — même le cheval, dans l'écurie, même cette petite bestiole qui fait tic, tic, tic, dans la charpente. Eh bien! Cécile va se marier. Une véritable catastrophe. Avec qui? Je vous le demande. Avec un roi d'Orient, avec un mage, un enchanteur? Non! Elle va finir par épouser Valdemar Henningsen. Je vous en ai parlé cent fois, mais je ne vous ai pas tout dit. Valdemar nous a tirés de l'ombre. Nous ne savions rien, ou presque. Nous étions, Cécile et moi, de très pauvres enfants. Il nous a tout révélé: la musique, les belles choses... et l'orgueil, surtout l'orgueil. Nous habitions la même maison. Lui, c'était un artiste. Il venait, il descendait, il faisait travailler Cécile. Il était pour moi comme Ariel, comme un archange, avec les clefs et le flambeau. Il était extraordinaire, avec ses grandes mains maladroites, ses discours. Joseph disait: un esthète! Qu'est-ce que vous avez, Hélène?

— Vous ne sentez pas qu'il pleut?

— Si. Allons sous le refuge. Eh bien! ce garçon étonnant, qu'est-ce qu'il est, aujourd'hui? Est-ce que j'avais mal compris? Est-ce que j'avais mal vu? Joseph me dit volontiers que je ne suis pas observateur. Qu'est-ce qu'il est, ce Valdemar? Un raté, un fou, un malade. Oui, c'est surtout cela. Un neurasthénique! Et Cécile va l'épouser. Je pourrais presque affirmer que Cécile ne l'aime pas, ou plutôt qu'elle ne l'aime plus. Vous n'êtes pas trop mouillé? Hélène, Hélène, j'ai le sentiment que je vous dis des sornettes, enfin que toutes ces misères ne peuvent pas vous intéresser.

Nous étions sous le refuge et nous y trouvions seuls. Une grosse pluie verticale, pesante, acharnée, s'abattait sur le jardin. Et, soudain, nous entendîmes l'orchestre militaire — nous devions être un jeudi — qiu se prit à jouer, pour les arbres, pour les bosquets trempés, pour les chaises ruisselantes. Il jouait une valse de la *Traviata*:

Buvons...ons, buvons...ons à la...a...a...a folie
De ce vin qui nous enivre.

Un air que je détestais, que je trouvais risible et qui, dans mon souvenir, a pris, avec les années, une beauté presque déchirante.

Je regardais Hélène avec une tendre angoisse et j'eus, l'espace d'un éclair, le sentiment confus que je devais me tromper, que je faisais fausse route, que j'étais en train de gâcher, de manquer quelque chose, peut-être une destinée, peut-être une grâce unique, et qu'il n'y avait, quand même, aucun moyen de faire autrement, que j'étais lancé comme un bolide, comme une comète et qu'il ne dépendait plus de moi de n'aller point où j'allais.

— Oui, repris-je plus sourdement, je suis prisonnier d'eux tous. Voilà ! Je ne suis pas libre. Ils m'enchaînent, ils m'écrasent. Vous parliez de Ferdinand ? Il va se marier, Ferdinand. Ils vont tous se marier. C'est comme une épidémie. Vous ne connaissez pas Claire. Vous n'y perdez pas trop. Une vraie femme pour Ferdinand. Ça parle bas, dans les coins, le futur ménage, toute la journée du dimanche. Alors, vous pensez : l'amour ? Ouiche ! Ça parle interminablement de la chambre en noyer ciré, de la moquette clouée, du service de Baccarat, enfin de ce qu'ils appellent « le nid ». Je vous demande pardon, mais ça me dégoûte, ça me dégoûte !

J'avais le sentiment désespéré que je disais de moins en moins ce que je voulais dire. Là-bas, derrière des épaisseurs de pluie, entre les marronniers macérés, le trombone reprenait, seul, avec un entêtement chagrin :

Buvons...ons, buvons...ons à la...a...a...a folie

Alors Hélène releva la tête et, d'un mouvement ailé, secoua ses vêtements. Je crois bien qu'elle souriait. Elle disait, entre haut et bas :

— Mon pauvre Laurent, ce n'est pas inextricable. Il me semble que si vous aimiez quelqu'un, vous ne penseriez même pas à toutes ces histoires des autres. Vous m'aviez promis du thé. Ce ne sera pas superflu.

Comme nous partions sous la pluie, le moment me sembla venu d'aborder enfin le plus obscur de ma confidence. Était-ce le temps, l'averse, le hasard, je ne sais quel malaise, peut-être la rougeur d'Hélène, les choses, une fois encore, ne se présentèrent pas comme je l'avais espéré, et les mots trahirent aussi. L'idée me vint, à la minute décisive, de tenter une expérience. Sans doute même cette expérience voulait-elle être tentée, envers et contre mon cœur. Je m'entendis ainsi parler :

— Hélène, hier soir, j'ai fait une folie. Oui, une chose déraisonnable.

Hélène me regardait d'un air un peu lointain. De grosses gouttes de pluie se formaient au bord de son feutre. Elle murmura :

— Qu'avez-vous fait?

— Je me suis querellé, hier soir, avec mon frère Joseph.

Hélène haussa les épaules. J'hésitais un peu sur la pente.

— J'avais un billet de mille francs ou, plus exactement... enfin, ça faisait mille francs en tout. On venait de me donner cette somme après bien des discussions. Il faudrait tout vous dire : une affaire d'héritage. Alors j'ai déchiré le billet et je l'ai jeté dans la Marne, pour montrer à Joseph...

Hélène attendit une minute et, comme je ne disais plus rien, elle demanda, la voix calme, déliée, lointaine :

— Pour montrer... quoi?

— Rien, Hélène, absolument rien. D'ailleurs les choses ne sont pas aussi simples que je pourrais vous le dire. Tenez, entrez par ici. On va nous donner du thé, des gâteaux, ce que vous voudrez.

La chaleur du thé me descendit dans la gorge sans me soulager le cœur. Un grand malaise m'était venu. Je parlais profusément, je parlais de tout. Je disais :

— J'ai rencontré Boissonnas, l'élève de Schulhof, l'astronome. Il y a de quoi hurler. La moitié des astronomes disent que la terre a deux milliards d'années, les autres seulement trois cent millions. Et les mathématiciens ! C'est encore pis. Tout est remis en question. Aucune certitude possible. Deux et deux ne font plus quatre. Les parallèles peuvent très bien se rencontrer. Quel désordre ! Quelle misère ! Il y a qu'une seule chose dont on soit à peu près sûr. Non, non, ce n'est pas le néant. C'est la douleur. Je méprise les sciences exactes, ou, du moins, je m'en défie, malgré Schleiter et ses pareils. Les sciences dites exactes sont une énorme duperie. Mais j'ai pitié de la vie. Vous verrez, Hélène, vous verrez, j'inventerai une physiologie nouvelle : la physiologie de la douleur. C'est la seule réalité.

Nous étions sortis de nouveau. J'avais retiré mon chapeau qui était à larges bords, car j'avais résolu de n'imiter point Schleiter.

Nous commençâmes de marcher le long des rues, au crépuscule. Hélène était conciliante, accommodante, maternelle, oui, c'est bien le mot, maternelle. Elle me saisissait le bras quand je me lançais sur la chaussée, au mépris des camions et des fiacres. Elle m'écoutait encore ou, du moins, faisait semblant. Vers six heures et demie, je me rappelle que nous errions le long du square Notre-Dame. Je disais, la voix amère

— Boissonnas m'a rappelé, d'abord, que les planètes de notre système tournaient toutes dans le même sens c'est-à-dire à l'opposé des aiguilles d'une montre. C'est rassurant, n'est-ce pas? C'est un ordre, quelque chose qui met l'esprit en repos. Eh bien! pas du tout. On a découvert une planète qui s'appelle Uranus et qui tourne à contresens. Et tous ses satellites aussi tournent à contresens. Ah! je vous affirme, Hélène quand je songe à cela, j'ai vraiment envie de mourir

— Pauvre Lau! dit Hélène. Vous n'êtes pas simple oh! pas du tout.

— Qu'est-ce que vous faites, Hélène? Vous voulez me quitter?

— Bien sûr. Il le faut, mon petit. Allons, allons, du courage. Chacun sa vie, Laurent.

Sur cette maxime sévère, Hélène eut un élan auquel je devais rêver plus d'une fois au long des jours. Elle se pencha vers moi très vite et me posa sur les cheveux un baiser léger, léger, dont je ne sus pas tout de suite qu'il avait un parfum d'adieu.

Quelques minutes plus tard, je marchais, le long de la Seine, mon grand chapeau sous le bras. Au coin du pont d'Austerlitz, je fis halte sous un bec de gaz et j'écrivis le petit billet suivant que j'avais presque oublié quand, en 1918, Mme Weill me le rendit avec beaucoup d'autres papiers:

« *Justin, mon cher Justin, tu es mon seul ami. Au nom de la poésie, de l'amitié, de l'amour, de tout ce que nous chérissons, viens me voir à Créteil, demain*

Arrange-toi pour rester, quelques jours avec ton malheureux

Laurent, *qui est abandonné des hommes, des Dieux et des Idées.* »

M. Weill, par chance, n'était pas encore parti. Il se faisait, tous les soirs, pendant les mois de vacances, conduire par un de ses fiacres jusqu'à la place Denfert et partait, en train, pour Jouy, retrouver toute sa famille.

Il me fit présent d'une enveloppe, se chargea de ma lettre après l'avoir ostensiblement cachetée, fit deux ou trois jeux de mots, à quoi, d'ailleurs, il excellait et monta dans sa voiture.

De cette soirée pluvieuse, je me rappelle encore un certain nombre d'images : un dîner nauséabond que je pris dans un « bouillon », non loin de la place Maubert ; puis des rues, des trottoirs, des grilles de jardins obscurs, un café de la Bastille, aux environs de minuit. Enfin, plus tard encore, la petite gare enfumée d'où l'on partait pour Saint-Maur. Il n'y avait plus qu'un seul train, vers une heure et demie. J'étais crotté jusqu'à l'âme, sale, farouche, irrité. Je tombais de sommeil et dormis dans le wagon. De la gare de Saint-Maur jusqu'à la rue du Moulin, je marchai comme un automate. Enfin j'aperçus notre porte et j'entendis le barbet gronder derrière le battant. Je n'avais pas la clef de la rue, car je ne rentrais jamais à pareille heure. Je demeurai, une grande minute, immobile, sur le trottoir. Le chien, qui m'avait flairé, respirait au ras du pavé, mais n'aboyait plus. Alors, toute proche de moi, comme le souffle de la nuit, je perçus la voix de maman :

— C'est toi, Laurent! Comme il est tard!

Elle parlait vraiment très bas, pour ne pas réveiller ceux qui dormaient dans la maison. Et, tout aussitôt, je l'entendis qui manœuvrait la grosse clef. La porte s'entr'ouvrit. L'ombre était maintenant merveilleusement calme et froide. Ma mère me serrait contre elle et disait:

— Je me doutais bien que ton tour viendrait aussi. Tu es mouillé, trempé. De quoi prendre du mal. Viens, j'ai du lait chaud sur le feu, avec une goutte de café.

Elle m'entraîna dans la salle à manger. Une petite lampe Pigeon brûlait au milieu de la table sur laquelle, entre les repas, comme aux jours de notre enfance, comme au temps de la rue Vandamme et de la rue Guy-de-la-Brosse, on étendait une toile cirée toute fissurée, toute écailleuse. Ma mère apporta le lait dans une tasse de porcelaine qui lui venait de sa tante. Pendant que je buvais, ma mère me regardait, sans trop en avoir l'air, pour ne pas m'irriter. Elle risqua, la voix timide:

— Dis-moi quelque chose, Laurent. Peut-être que je comprendrai. Même si c'était une histoire de ton âge. Même si c'était une histoire... oui, une histoire d'amour.

Je posai la tasse, me levai d'un seul bond et répondis, la voix dure:

— C'est tout ce que tu voudras, maman, sauf une histoire d'amour.

Je montai dans mon grenier en butant au bord des marches. Il y avait, sous une porte, un petit fil de lumière: Paula Lescure lisait, jusqu'à l'aube, jusqu'à s'en user les paupières, des romans à couverture illustrée qu'elle cachait, pendant le jour, sous le matelas de son lit.

CHAPITRE VI

LA MAISON DE NOS COMMENCEMENTS. LE DIPLÔME, CLEF DE LA TERRE PROMISE. MENACE DE DÉSAGRÉGATION. CRÉTEIL OU LE GÉNIE DE LA COUVEUSE. SOLITUDE ET MANSARDE. VARIATIONS SUR LE RÉGIME DES BRUITS.

Notre maison de Créteil, je l'ai revue, et pour la dernière fois, il y a cinq ans environ, en 1927, au hasard d'une promenade. Ce revoir m'a serré le cœur. La maison m'a paru chétive, ruineuse, mal exposée. Des chiens, dans le jardin galeux, clabaudaient à l'écho de leur voix, ce qui toujours m'afflige comme l'image désespérante de presque toutes nos querelles. Du linge séchait dans la cour, sans vent, sans ailes, sans espoir. Une longue fissure descendait sur la façade, comme au front hideux de la maison Usher. On ne voyait pas les habitants : on entendait seulement, quand les roquets reprenaient souffle, la voix morose et scolaire d'un vieillard qui devait épeler le journal pour quelque compagne aveugle.

Je suis repassé, l'an dernier, dans cette venelle de Créteil. La maison avait disparu. Sur le terrain, retaillé par les lotisseurs, croissaient de ces bicoques où le génie moderne se manifeste avec intempérance et, somme toute, naïveté. Pour une fois, cette effervescence architecturale m'a donné du soulagement. Je n'avais plus à reconnaître, dans une masure flageolante, la somptueuse, l'orgueilleuse demeure de nos commencements.

C'est bien en 99 que nous sommes venus nous installer à Créteil. Raymond Pasquier, mon père, avait obtenu, dès le milieu de l'année 98, ce diplôme de docteur en médecine qu'il avait, que nous avions tous, avec lui, sinon plus que lui, souhaité comme le salut, comme la grâce et la récompense, comme la clef et le drapeau d'une vie nouvelle. Cette même année 98, Ferdinand, mon second frère, ayant atteint sa majorité, mes parents avaient fait, pour faciliter notre établissement dans la terre promise, un emprunt dont j'ai parlé dès le début de mon récit.

A l'instant de revenir, pour la clarté, sur ces misères, je me sens saisi d'amertume, peut-être même d'ennui. J'ai toujours détesté les chiffres. J'ai fait de beaux efforts pour les chasser de ma vie. Vont-ils reprendre du venin, alors que, le cœur en repos, je tâche à raconter notre histoire. Non, j'y reviendrai, par bribes, au hasard, ou quand il faudra. Je dirai, si d'aventure mon récit l'exige ou seulement le souffre, cette longue passion de mon père pour s'élever — c'était son mot — par le savoir, et comment nous avons vécu pendant ces années de bataille. Je veux tout de suite parler de notre maison de Créteil. Ne suis-je point parti pour cela?

Son diplôme obtenu, mon père fit d'abord quelques expériences dans le plus pur style Pasquier. Il alla reconnaître des postes et voir s'il pourrait s'y implanter. Nous attendions, à Paris, l'instant de le rejoindre. Le problème n'était pas simple et la vie du clan Pasquier parut, dès ce moment-là, formé d'intérêts divergents, difficilement conciliables. Tout nous liait, nous les enfants, à quelque canton de Paris. Joseph y avait mis en train ce qu'il appelait des « affaires ». Ferdinand tenait un emploi; en outre, ayant échappé, grâce à son excessive myopie, aux servitudes militaires, il s'était fiancé de bonne heure. Je poursuivais, de mon côté, des études en Sorbonne. Cécile, dans la première fleur de sa renommée, ne pouvait s'éloigner de la grande ville. Seule alors, Suzanne restait dans les jupes maternelles. A tout cela, je pense que mon père ne songeait pas une seconde. Il avait son diplôme en poche. Il sentait le vent, il vibrait comme un voilier, comme un oiseau, comme une créature mobile qui va prendre l'air, enfin, donner sa mesure, gagner les plus hautes régions de la vie, de la fortune. Notre mère devinait merveilleusement bien les destinées et la marche des événements. Je me rappelle qu'à ce moment, vers le début de l'année 99, elle avait l'air non pas hésitant, non pas désemparé — elle ne l'était vraiment jamais dans les circonstances graves — mais au contraire tendu, le front bas, les yeux mi-clos. Et puis, soudain, un jour, il fut question de Créteil et notre ciel s'éclaircit. Je compris, à regarder le visage de ma mère, que le problème était non certes résolu, mais hardiment différé, que le clan resterait uni jusqu'à de nouvelles échéances, que le génie du foyer venait de trouver un moyen de faire patienter tout le monde.

Créteil, c'était sinon Paris, du moins la chaleur de Paris, le rayonnement de Paris. Nous pouvions, nous tous, les enfants, sans renoncer à nos étoiles, à notre sens, à notre vie, nous pouvions patienter encore un peu sous les ailes de la couveuse. Notre père, dès l'aube d'un tel projet, marqua du contentement, presque de l'allégresse : il parlait toujours de départs, mais je pense qu'il dépérissait sitôt qu'il perdait de vue la flèche de Notre-Dame.

Maman vint à Créteil, y fit une savante prospection, trouva même, dans la grande rue, certaine maison décente, sans doute étroite de pignon, sans doute privée de jardin, mais bonne pour un docteur. — J'ai toujours pensé que ce titre, réservé, chez nous, Français, dans le parler courant, aux médecins, exclusivement, n'avait pas été de peu pour séduire et décider à l'effort un homme naturellement glorieux. —

Mon père vint donc visiter la trouvaille maternelle et, sur place, en pleine rue, sans même franchir le seuil, il fit une colère cardinale, démonstrative, avec effets de voix et mots à l'emporte-pièce, pour bien affirmer que jamais il n'accepterait de gîter dans cette espèce de cabane à lapins, dans cette boîte à sel, dans cette cage à mouches, dans cette maison d'épicier dont on avait le sentiment, ce sont ses propres termes et je cite sans commentaire, « qu'elle serrait les fesses et qu'elle était constipée ».

Là-dessus, mon père se mit lui-même en campagne, marchant sec et parlant haut. Il découvrit, après deux heures de recherches rondement menées, la maison, notre maison, celle de la rue du Moulin.

— Mais, Ram, lui dit maman, jamais les gens ne viendront là. C'est presque en dehors de la ville.

— Les gens viendront! s'écria mon père. Et ceux qui ne viendront pas, ce sera tant pis pour eux.

Je dois dire que la maison fit à nos yeux grand effet, que, pour une fois, nous nous liguâmes avec notre père et que les objections de maman ne nous parurent d'aucun prix.

La maison était alors, si j'en crois mes souvenirs, sinon ravalée de frais, du moins fort avenante. Elle montrait, avantage insigne, des fenêtres sur toutes les faces: mon père n'a jamais pu souffrir — et je l'approuve en cela — les maisons qui, dans deux ou même trois directions de l'espace, tournent des murailles fermées, des visages de refus.

Outre la cour, qui comportait de menues dépendances auxquelles Joseph, tout de suite, donna le nom de « communs », il y avait un jardin de dimensions médiocres, assez bien planté, somme toute agréable et que nous trouvâmes royal. Joseph sentit, j'en suis sûr, le mot de parc lui grouiller au bord des lèvres. S'il ne le prononça pas, c'est qu'il eut sans doute l'idée de le réserver pour lui, pour son avenir à lui, pensant qu'il serait un jour le premier des Pasquier qui saurait avoir un vrai parc.

J'espère bien, de ce jardin, raconter mille choses. Ne nous hâtons pas trop.

La maison comportait un rez-de-chaussée, un étage et un grenier spacieux sur lequel on avait pris trois chambres mansardées.

Au rez-de-chaussée, nous avions la salle à manger, la cuisine, un salon où l'on faisait attendre la clientèle et où elle n'attendait jamais fort longuement, comme je le dirai plus tard, un cabinet dans lequel mon père donnait ses consultations, enfin ce réduit qualifié laboratoire, parce que mon père y manipulait de petites bouteilles.

Quatre chambres, séparées deux à deux par un couloir, formaient le premier étage. Dans l'une couchaient les filles. Déjà Cécile, toute dévorée de son travail, tolérait assez mal la présence et les jeux de l'innocente Suzanne. En face, logeaient nos parents. Joseph et Ferdinand s'étaient, dès le début, et même avant, sur les croquis, adjugé les deux autres chambres de l'étage. A ce moment de ma vie, j'éprouvais un si vif et si poignant désir de solitude que je n'avais pas combattu pour me réserver une place dans l'une ou l'autre de ces chambres. Avec un peu de colère, un peu d'enivrement aussi, je m'étais réfugié dans une des mansardes, au grenier. Elles étaient lambrissées très bas, recevaient peu de jour, peu d'air, se révélèrent brûlantes en été, sibériennes dès novembre. Du moins, je m'y trouvais seul.

Maman disait, chaque soir: « Cette passion d'être seul! Il t'arriverait quelque chose là-haut, je n'en saurais rien. Je ne t'entends pas respirer. Cette passion d'être seul! »

Une autre de ces trois mansardes fut, dès l'été 1900, prise par Paula Lescure. C'était une cousine assez éloignée appartenant au monde Pasquier, c'est-à-dire « côté paternel ». Après maintes délibérations, nous l'avions fait venir de son Vexin natal pour aider aux soins du ménage et soulager un peu maman.

La troisième des mansardes était réservée pour une domestique et n'a presque jamais servi, du moins à cet usage. Il arrivait que mon cher Justin Weill y passât la nuit, quand il venait à la maison. Joseph disait sérieusement : « C'est la chambre d'amis. » Car Joseph esprit positif, — il aimait à le déclarer — était vivement ébloui par les mots et les images.

Telle était notre maison et telle, je dois le dire, elle fut pour nous tous, au début, l'objet d'un orgueil sans mesure. Nous avions, pendant si longtemps, vécu de la vie étouffée du menu peuple de Paris ! Nous avions, pendant tant d'années, manqué d'espace, de lumière et même d'air respirable. Pendant toute notre vie, le jeu de nos pensées, autant et plus que celui de nos membres, avait été comme étouffé par les portes, par les murailles, et surtout, surtout, par la présence à notre droite, à notre gauche, au-dessus et au-dessous de nous, en face de nous, derrière nous, dans tous les sens, à tous les plans, par la présence d'autres hommes, d'autres familles, d'autres âmes. Et voilà que, tout à coup, — oh ! nous n'étions qu'en banlieue, pays des petites maisons, des petits jardins, des petits rêves et des ambitions malingres, — voilà pourtant que, soudain, nous pouvions nous desserrer, mettre un peu d'espace limpide entre les membres du clan, et jeter une belle marge entre nous et l'étranger. Ce fut, pour tous, un soulagement délicieux, sauf pour notre mère qui pressentait là, de ses sens déliés, une ébauche de dénouement, une première trêve de l'étreinte, un inquiétant prélude à l'essaimage, à la dispersion.

Je le répète, pour papa, pour nous, les enfants, la joie fut sans ombre. La surprise la plus vive me fut donnée par le changement de ce qu'il faudrait appeler le régime des bruits.

Dans nos logements parisiens, j'avais toujours distingué plusieurs familles de bruit. Il y avait d'abord nos bruits, les bruits Pasquier, ceux de notre clan. Sans doute, devrais-je appeler d'abord les très infimes rumeurs de ma vie personnelle, le jeu du cœur attentif, le glissement du sang dans les vaisseaux, le souffle de la poitrine et ces choses que l'on perçoit au plus calme de la nuit: le travail secret de toute fibre, la vibration sonore des muscles qui se contractent, le tintement des paupières serrées pour implorer le sommeil, ce tintement que seuls connaissent les vétérans de l'insomnie. Les bruits secrets de la bête, mêlés aux cris silencieux de l'âme, je ne les oublie certes pas: ne vont-ils pas m'escorter jusqu'aux frontières de la mort? Ils se fondaient alors dans l'harmonie du concert Pasquier. De celui-ci, je connaissais tous les timbres, tous les styles: la marche de l'un, la toux de l'autre, le sourd grognement de Joseph avant de se racler la gorge, les soupirs ténorisants de mon père, le dé à coudre de maman frappant rêveusement la table, la façon qu'avait Ferdinand de gratter le sol, sous sa chaise, ou de renifler avec passion, ou de ruer dans son lit, les rires de Suzanne enfant. Et, plus haut encore, les voix, les voix que je reconnaîtrai dans mille ans, quand la trompette de l'ange m'aura tiré de la tombe. Et le piano de Cécile, non pas roi du bruit, mais bien roi souverain du silence, image et Dieu de mon silence! Oui, les mots, les cris, les appels, tous les chants que la nuit éteint. Alors c'est le dialogue des choses familières, le tremblement d'une assiette

lans le buffet, les déchirements de l'armoire ou de la
ommode, les craquements du vieux lit, quand vient
e froid, à l'aube, toutes les plaintes du bois torturé
ar un travail intérieur. Et, plus loin, autour, la
ourse hennissante de l'eau dans les conduites, les
ruits qui filent comme des rats au plus creux des
ncoignures. Mille autres choses encore : une mou-
he qui rêve, une fleur qui perd un pétale, un trait
l'air qui filtre sous une porte, se trouve soudain pri-
onnier, s'affole et cherche issue. Et tout cela, c'est
otre domaine. On entend, aux frontières, le bruit
les charpentes arthritiques et, au delà, au delà, com-
nence la vie des autres : les bruits des voisins connus,
les clans dont on ne peut pas ne pas tout savoir : le
raînassement des chaussures, la querelle quotidienne,
es variations de l'amour, les rythmes du petit métier,
es doléances du malade. Et, plus loin, encore plus
oin, la vie des maisons voisines, la rue, torrent de
ruit, et Paris, océan de bruit, et le monde entier,
n rond, venant battre notre rive, le monde qu j'écou-
ais, jour et nuit, la bouche ouverte, les doigts écar-
uillés, car je ne saurais pas vivre sans écouter, écou-
er, écouter, oui, écouter tout ce qui peut s'entendre,
t le reste, surtout le reste.

C'est ainsi que j'avais vécu pendant plus de dix-
uit ans. Alors, nous étions venus dans cette mai-
on de Créteil. Soudain, les bruits Pasquier s'étaient
rouvés presque isolés des bruits du monde. Un bel
nneau de silence était tombé soudain entre l'univers
t nous. C'était d'ailleurs un silence non pas inter-
lanétaire, mais vivant et impur, visité de pépiements,
le vols d'oiseaux, d'insectes taraudeurs. Un très beau

silence quand même. J'y nageais avec délice, chaqu
soir, dans mon grenier. Ce fut peut-être ma plus viv
délectation pendant nos premiers mois de Créteil, e
c'est pourquoi j'y pense encore, sans doute pour, un
minute encore, retarder le récit que je me suis promi
de faire.

CHAPITRE VII

LYRISME DE JUSTIN WEILL. UNE CONFIDENCE TOUJOURS INTERROMPUE. PORTRAIT DU Dr PASQUIER. LA VOITURE « SANS CHEVAUX ». UN BEAU DÉPART. SURPRISE DE LA VITESSE. PLAINTES D'UN AMOUR MALHEUREUX. CHAM ET LES INVENTIONS MODERNES. CLARTÉS SUR UN GESTE ABSOLU.

MON ami Justin Weill n'avait pas grandi beaucoup, depuis les jours de notre adolescence. Au moment où prend ce récit, il avait à peu près vingt ans. Il savait que, tel Simon Weill, son honoré père, il resterait un homme de petite stature et il palliait naturellement cette légère disgrâce par un goût charmant de l'élévation morale, du lyrisme et de l'essor. Il montrait cette beauté matinale des jeunes Juifs, cette beauté précaire qui n'attend pas, pour s'alourdir, les fardeaux et les flammes de midi. J'ai songé mélancoliquement à Justin en lisant, des années plus tard, les vers chaleureux d'Henri Franck :

> Toi, juif aux cheveux roux et à la voix chantante,
> Tout tremblant de nerveuse et tendre intelligence...

Les grandes oreilles de Justin étaient maintenant cachées par une chevelure admirable, rétive, solaire.

Il avait des yeux longs, d'un noir brumeux, une voix non seulement chantante, mais d'un timbre émouvant. Une voix très belle, trop belle peut-être. Les hommes qui jouissent d'une telle voix en sont eux-mêmes les esclaves enchantés et si, d'aventure, ils sont poètes, ils se trouvent finalement déroutés par la gloire du comédien.

C'est ainsi que je revois Justin, dans la cour de notre maison, le lendemain de ma promenade avec Hélène. Justin n'avait pas balancé, sitôt mon appel reçu, sitôt déchiffré mon billet. Il arrivait de Jouy par la route, à bicyclette. Il portait une culotte bouffante, une veste quasi-boléro, le tout de bonne laine anglaise, une cravate cerise et un canotier de paille. Il marchait dans la cour, à mes côtés, pétrissant son mouchoir d'une main petite, inquiète, marquée de taches de son.

— Ecoute, dit-il, c'est très beau. Mille francs! Un billet de mille francs! Et tu l'as déchiré, mis en miettes, jeté dans l'eau!

— Attends, Justin, je veux te confesser encore quelque chose.

— C'est bien, Laurent, c'est très beau! Tu permets à ton vieil ami de te dire le fond de sa pensée. Tu sais que je suis incapable de te cacher quoi que ce soit. Mille francs, c'est un beau geste. Et vois-tu, Laurent, mon avis est que même ce n'est pas assez. Ce n'est pas mille francs qu'il fallait détruire, c'est dix mille francs, cinquante mille francs, cent mille francs...

— Oui, oui, je le sais bien, repris-je. Mais je n'avais pas une pareille somme. Pense un peu, déjà, mille francs! D'ailleurs, Justin, sois fraternel: j'ai quelque chose à te dire. C'est grave... J'en suis malade.

— Tu ne les avais pas, je le sais. Mais tu les auras un jour. Si! Si! pense donc! Un savant de ton envergure! Eh bien! il faudra y revenir. Un sacrifice géant, une hécatombe, un autodafé de billets. Voilà ce qu'un homme comme toi...

— Ah! fis-je, tais-toi, Justin. Tu me remplis de honte.

Je ne suis pas bien sûr que Justin, tout à sa ferveur, songeait à me demander la raison de cette honte. Il n'en eut d'ailleurs pas le temps: mon père sortait de la maison. Il descendit deux ou trois marches, s'éclaircit la voix, regarda le ciel.

— Eh! dit-il. C'est le beau temps ou presque. Je vais prendre la « sans chevaux ». Si le cœur vous en dit, jeunes gens?

Nous acceptâmes avec dignité, sans marquer le moindre enthousiasme, bien que la proposition ne fût pas pour nous déplaire.

Mon père disparut dans le couloir.

— J'ai besoin de te parler encore, dis-je tout bas à Justin. Attendons, veux-tu? Jusque-là, pas un mot, urtout devant qui tu sais.

Mon père venait de reparaître. Il portait un chapeau de soie haut de forme qu'il retirait de temps en emps pour, d'une caresse du coude, en lustrer le poil. l avait abandonné sa lavallière chérie et se nouait ous le menton une cravate de piqué blanc. Il ne détestait pas, d'ordinaire, la redingote; toutefois, pour onorer cette douce matinée d'arrière-saison, il avait iré du placard une jaquette gris souris qui l'amin-issait et le grandissait un peu. « Dans cette profession, disait-il, le vêtement long est de rigueur. Il faut inspirer confiance. » Ce n'était pas mal pensé. La médecine, à renier toute particularité d'accoutrement, perd un peu de son prestige et, nécessairement, de son efficacité, erreur que la magistrature n'est pas encore près de commettre.

Cette sévère tenue, que mon père portait allégrement, se trouvait en outre tempérée par des gants citron qui sentaient un peu la benzine et par des bottines jaunes, d'un jaune étonnant, nutritif, qui faisait songer à des sauces, à des gâteaux, aux mandarines de Noël.

— Ton père est vraiment très bien, me dit à voix basse Justin, en relevant les sourcils. Plus de cinquante-trois, n'est-ce pas ?

— Ah ! non, fis-je. Pas un mot là-dessus ! Nous parlerons de ça un autre jour.

Cependant, je regardais mon père d'un œil mi-clos, attentif. Il venait d'ôter son chapeau qu'il avait posé, coiffe au ciel, sur le bord de la fenêtre. Ses cheveux, d'un blond chaleureux, divisés par une raie latérale, ne se décidaient aucunement à blanchir et semblaient au contraire parcourus par des vagues de patine bronzée. Il avait de longues moustaches félines, flambantes, et qu'on eût dites, comme les antennes des insectes, animées d'un mouvement propre. Dans son regard, d'un bleu presque tendre pour peu qu'il voulût sourire, passaient des reflets argentés, des lueurs froides que j'ai guettées longtemps, non sans malaise. Il n'était pas très grand, mais agile et vif. Nul n'aurait dit de lui qu'il était un petit homme. Il paraissait

inon parfaitement élancé, du moins sur le point de
rendre son élan.

Il nous considéra pendant une seconde avec ce sou-
ire cordial et dédaigneux dont, vers ce temps, je com-
nençais à tolérer la piqûre.

— Jeunes gens, dit-il, veuillez ouvrir la porte. Nous
llons sortir la machine.

Notre maison avait été construite vers le milieu du
XIXe siècle, à l'ancienne mode. entre cour et jardin.
a cour, je ne sais si je l'ai dit, se trouvait, comme
l se doit, sur le devant et donnait, par une baie char-
etière, dans la rue du Moulin, à l'endroit même où
a chaussée commence de s'incliner vers la rivière.
droite et à gauche de cette cour, qu'il me faudrait
lus justement nommer courette, s'ouvraient les fa-
neux « communs » de Joseph : deux bâtisses employées
'une comme remise et l'autre comme écurie. Au fond
le ce dernier réduit, nous entendions Cham piétiner
ne maigre litière. Mon père avait ainsi nommé notre
heval parce que la bête était de robe noire. Et comme
papa ne détestait pas la plaisanterie, nous voyant, un
jour, Justin Weill et moi, flatter l'innocent canas-
son, il avait dit, la voix railleuse : « Voilà Sem, Cham
et Japhet. » Cette petite phrase, apparemment ano-
line, laissait perler, vers 1900, un venin antidreyfu-
sard auquel nous étions fort sensibles. Nous avions,
Justin et moi, rougi d'un même cœur, et Justin, la
voix vibrante, avait aussitôt répondu : « Soyez tranquille, monsieur Pasquier, nul de nous ne se moquera
du patriarche. » Réplique dont mon père avait éprouvé la verdeur, car, loin de jouer les pères nobles, il se

fût donné plutôt pour le frère de ses enfants. Mais revenons à mon récit.

Nous ouvrîmes donc la remise. On y voyait, près du boguet avec lequel mon père faisait d'ordinaire ses courses, une mécanique extraordinaire que nous considérâmes aussitôt avec respect et curiosité. La dernière fantaisie, la dernière folie de mon père.

— Jeunes gens, aidez-moi, dit-il, en ôtant sa jaquette.

Tirée, poussée, la voiture « sans chevaux » vint au grand jour. C'était une sorte de phaéton à deux places dont les hautes roues portaient un galon de caoutchouc noir. Devant la place du conducteur s'offrait à l'extrémité d'une tige verticale, une manette de direction qui tournait sur un secteur en forme de cadran solaire. Le moteur était à l'arrière, entre les deux roues majeures, dans un gros coffre de bois peint en rouge vif avec filets noirs. Ce coffre s'ouvrait par deux volets obliques, semblables à la porte des caves dans certains pays vignobles. Deux belles petites lanternes, avec bougeoirs à ressort et réflecteurs étamés donnaient à croire qu'une sortie nocturne ne serait pas impossible.

— Ne vous installez pas tout de suite, fit mon père : il faut soigner la mécanique.

Il prit une burette, une loque, un bidon de benzine et commença de tourner autour de la voiture en nous donnant maintes explications.

— C'est une voiture à pétrole, disait-il, avec un moteur Daimler, le vrai moteur du progrès. Ce n'est pas le tout dernier modèle, sans doute. On fait, aujourd'hui, des voitures plus élégantes. Je ne m'y fierais pas : la mécanique est sacrifiée au luxe. Avant tout, la sécurité. Tenez, regardez, jeunes gens, comment se fait la mise en marche. Simplicité parfaite : je dévisse le robinet, je tourne le commutateur, et, maintenant, j'empoigne le volant de départ.

Il avait ouvert la cage du moteur. On apercevait confusément toute une triperie métallique et, surtout, un lourd volant de fonte placé dans le sens des roues et que mon père saisit à pleine main. Il retint son haleine et fit un geste énergique pour imprimer au volant un mouvement de rotation. La machine renifla longuement, éternua, puis lâcha quelque chose comme un aboiement.

— N'ayez pas peur, dit mon père, ce genre de moteur s'appelle, en propres termese moteur à explosions. S'il pète, c'est qu'il va marcher.

— Oh ! déclarâmes-nous dignement, nous n'avons pas du tout peur. C'est même assez intéressant.

Une dizaine de fois, mon père lança le volant sans résultat. Le moteur toussait, râlait, renâclait sans se décider. Et, soudain, il partit : « Tap, tap, tap » et la voiture se mit à trembler tout entière, avec un bruit de fusillade. Mon père, toujours souriant, remettait sa jaquette, son haut de forme, ses gants jaunes. Il dit :

— Laurent, tu monteras derrière. On va placer le coussin. Ton ami se mettra près de moi.

Nous disposâmes, sur le coffre du moteur, un coussin de cuir noir. Un petit marchepied et deux poignées de fer concouraient à mon équilibre. Mon père et Justin prirent place. La voiture, tournant sur elle-même comme un chien qui cherche à se mordre la queue, se dirigea vers la sortie.

Nous avions beau, Justin Weill et moi, marquer de la réserve à tout ce qui concernait les extravagances modernistes en général et les expériences du Dr Pasquier, mon père, en particulier, l'idée de traverser Créteil dans cet équipage étrange nous donnait quelque plaisir. Je m'étais assis un peu de biais, pour surveiller notre cheminement. La rue du Moulin n'offre pas un sol fort égal. Quand la voiture, ayant, roue après roue, achevé l'exploration de quelque fondrière, regrimpait de l'autre côté, je me cramponnais avec force pour ne pas vider les arçons ou ce qui m'en tenait lieu. Mon père, bien droit, bien calme, le haut de forme assuré, la dextre sur la manette, la senestre sur la hanche, semblait parfaitement maître de cette force tempêtueuse. Comme nous arrivions sur la place de l'Eglise, il souleva son couvre-chef et salua plusieurs personnes d'une façon fort élégante.

— Je ne suis pas vindicatif, dit-il, — et cela nous fit sourire, car il était passablement vindicatif, — mais je voudrais rencontrer cet imbécile de Blottier pour lui montrer, confraternellement, qu'au point de vue des idées, je suis plus jeune que lui.

A cet instant précis, et sans aucune raison sensible, comme un cheval qui prend peur à la vue d'une brouette, notre voiture fit un écart à droite et monta sur le trottoir. Elle y roula quelques mètres et vint donner du museau contre la boutique du pharmacien.

— La manette de direction est un peu trop délicate, fit mon père, mais ça n'a pas d'importance, car je voulais, justement passer chez le pharmacien. Tirez la voiture avec soin, mes garçons, et replacez-la sur la chaussée.

Nous fîmes de notre mieux pour exécuter cet ordre. Une petite foule de badauds s'était rassemblée pendant ce temps et quand mon père, de retour, remit la machine en route, nous dûmes prier les curieux de nous livrer passage. La course reprit. Il faisait une douce et molle matinée d'automne. De grands nuages semblaient chercher dans la campagne le point convenable pour lâcher une averse indolente. Mon père dit :

— S'il pleut, Justin, tu ouvriras le parapluie qui est dans l'étui d'osier, à ta gauche.

A ce momenet la pluie tomba. Justin, déployant le parapluie, se mit en mesure de protéger mon père et le chapeau de soie de mon père. Nous avions quitté les maisons. Une grande plaine fraîchement labourée se montrait sur notre droite. On y voyait, par milliers, briller les éclats de verre et les tessons de pot. Les araignées, de motte en motte, avaient déjà tendu de fins cheveux de lumière. La pluie hésita, s'arrêta. Le sol dévalait vers un hameau dont on apercevait les maisons et les vergers. La voiture avançait en égrenant un joli chapelet de détonations qui s'amortissaient dans l'étendue. Parfois, quelque détonation manquait à l'appel ou bien faisait long feu. Mon père souriait avec un sang-froid que, dans le fond de mon cœur, je jugeais assez remarquable. Il disait :

— Cette voiture peut faire dix-huit et même vingt ou vingt-deux kilomètres à l'heure. Mais je ne la connais pas encore assez pour lui demander le maximum. Ah ! le pavé est mouillé. Moteur admirable, je vous l'ai dit. Le frein, malheureusement, ne m'inspire pas la même confiance.

Nous venions de nous engager dans la partie la plus déclive de la côte. La voiture sentait la pente et bondissait de bosse en trou. Mon père saisit le frein dans sa main droite et murmura :

— Il serait préférable de ne pas prendre le mors aux dents.

Nous avions cessé toute conversation, tels des expérimentateurs au moment critique de l'épreuve. De toutes mes forces, je m'agrippais aux poignées et je sentais mes orteils, touchés de vertu préhensible, étreindre le marchepied, à travers le cuir de mes brodequins. Mon père murmura, d'une voix calme :

— Nous dépassons peut-être le vingt-quatre ou le vingt-cinq à l'heure. Sentez-vous le vent de la course ?

Puis il ne dit plus rien et je pense que nous fûmes, tous, saisis d'une légère angoisse. Nous arrivions au tournant de la route. Devant nous se présentaient un petit fossé, un talus modeste, quelques pieds carrés de chaume, enfin le mur d'une propriété derrière lequel jaunissaient des touffes d'acacia.

J'entrevis tout cela dans une sorte d'illumination. Mon père prononça, la voix blanche : « Je tourne la manette à droite, pourqu'il faut aller à gauche. » J'entendis cette phrase raisonnable, froidement mécanique et, soudain, la voiture, au lieu de virer vers la gauche, se dirigea vers la droite, piqua dans le petit fossé, monta sur le talus, s'allégea, d'un coup de rein, de ses trois passagers et fonça vers la muraille.

Malgré la brutalité du choc, nous nous relevâmes tous trois aussitôt. Je vis mon père courir après son haut de forme, le ramasser, en lisser le poil d'un geste du coude et se tourner vers nous, souriant.

— C'est, dit-il, le phénomène du dérapage. Pas de bob, jeunes gens?

Nous le rassurâmes d'un mot. J'étais étourdi quelque peu, mais intact, et Justin de même. Toutes nos pensées se tournèrent vers la machine et mon père eut un cri de triomphe.

— Je vous disais bien que le moteur était admirable. Ecoutez: il tourne encore. Par malheur, la direction est endommagée. Oui, fort endommagée, oui, fort endommagée, même. Il va nous être impossible de continuer cette course. Aidez-moi, garçons. Attendez! Allons par ordre. J'arrête le moteur. Bien. Il s'arrête. J'examine le train avant. Il faut, voyez-vous, traiter cette mécanique exactement comme un malade. Ah! la transmission est rompue et l'essieu faussé. Il se peut même que le frein... Allons, tant pis! Réfléchissons une minute.

— Voulez-vous, monsieur Pasquier, fit Justin, qu'en unissant nos efforts nous tirions la machine jusque sur la route?

Mon père haussa les épaules:

— Tu n'y penses pas! Une voiture de cette espèce pèse au moins trois cents kilos. Non, attendez, jeunes gens! Vous allez garder la machine. Je vais à la maison chercher le cheval et des cordes. Assurément, ce ne sera pas un retour bien glorieux. Tant pis! Si les gens s'avisent de rire, je leur montrerai ma façon de penser.

Mon père n'était pas homme à remâcher une décision. Il déploya son mouchoir, battit les pans de sa jaquette pour les débarrasser de quelques mousses et brindilles qui s'y accrochaient encore, fit le geste rituel de lisser son « huit reflets » et s'éloigna, disant: « Je suis ici dans vingt minutes. »

Un calme délicieux tomba. La campagne de Créteil était une campagne incertaine. On entendait à tout instant siffler les trains de Saint-Maur ou de Choisy, parfois la plainte pressante des remorqueurs de la Seine ou de la Marne. D'un fort lointain venait, limpide et précise, une sonnerie de clairon. Nous avions, en outre, le sentiment, peut-être hallucinatoire d'entendre, vers l'orient, la respiration orageuse de Paris. L'été de 1900, pluvieux et maussade, avait flétri de bonne heure les frondaisons. Pourtant montait, de la terre, un mystérieux parfum, poignant et sépulcral. Un laboureur, au loin, parlait à ses chevaux, comme au premier jour de l'histoire. Nous éprouvions cette paix l'un et l'autre et, de nouveau, prêtions l'oreille à nos rêves. Justin tenait entre ses dents une tige de graminée et la coupait en petits morceaux qu'il soufflait d'un air pensif. Il soupira.

— Mon père et mes oncles disent que ces machines peuvent devenir quelque chose et qu'il faudra sans doute, un jour, changer nos fiacres... Grosse dépense en perspective.

Comme je ne répondais rien, il retomba dans le silence.

— Justin, fis-je au bout d'un instant, tu ne m'as pas laissé t'expliquer quelque chose que j'ai là, sur le cœur.

Je vis que Justin se méprenait au sens de mes paroles. Il fit un sourire tendre et murmura :

— Je suis venu parce que tu m'avais appelé. Mais je sens que je vais rester, que c'est indigne.

— C'est pour moi, fis-je, que tu es ici...

— Oh! Je n'attendais qu'un mot, au risque d'être indiscret, au risque d'être ridicule, puisque les fiançailles seront officiellement annoncées après-demain. Je n'attendais qu'un mot et je suis venu, Laurent.

— Justin, mon vieux, dis-je en lui saisissant la main, j'ai longtemps défendu Valdemar. Il représentait à mes yeux toutes sortes de choses sacrées: l'inspiration, la musique, l'art enfin. Je ne suis pas injuste, crois-le bien: Valdo représentait la musique comme toi tu représentes la poésie, la pensée. Enfin, entre vous deux, je me sentais déchiré. Quel que fût le choix de Cécile, je savais que ça n'irait pas tout seul. Rappelle-toi, rappelle-toi la rue Guy-de-la-Brosse et notre Jardin des Plantes. Mais aujourd'hui Valdemar me fait horreur. J'ai cru longtemps qu'il buvait, avec son regard, ses colères, ses tristesses et les scènes qu'il nous faisait. Et ce n'est pas d'aujourd'hui. Vingt fois il a menacé de s'ouvrir les artères et de se couper le poignet parce qu'il n'arrivait pas à jouer aussi bien que Cécile. Un jour, il s'est enfoncé le canif dans le talon de la main. Des folies, des folies! Et pourtant, non, il ne boit pas. Il est malade.

— Oh! s'écria Justin l'œil flamboyant, on ne laissera pas Cécile épouser ce malheureux.

— Justin, répondis-je, pesant les mots, je ne sais pas ce qui pourrait empêcher Cécile de faire ce qu'elle veut faire. Mais je te promets, solennellement, de m'opposer de toutes mes forces à ce mariage.

Justin me prit les mains et me les serra sans répondre. Un peu plus tard il dit:

— Voilà ton père. Et il y a une autre personne.

— C'est, fis-je, M. Herbelot, l'homme qui vient en journée pour bouchonner le cheval et laver la carriole.

Les deux sauveteurs approchaient, tirant le cheval par la bride. Cham, en 1900, était un animal encore très jeune, de bon courage et de bon poil. Mon père, conducteur distrait, l'avait couronné dès les premiers jours, en sorte que le pauvre bourrin saignait souvent des genoux et portait presque tout le temps des emplâtres de goudron. En apercevant l'automobile, Cham se prit à hennir et jeta de côté des regards inquiets. Déjà, déroulant les cordes, le bonhomme Herbelot improvisait un attelage.

— Ne l'attachez pas trop court, dit mon père, qu'il ait du jeu.

Les cordes nouées, Herbelot saisit le cheval par la bride et commença de lui parler. L'animal faisait entendre un souffle court et anxieux. Il roidit ses jambes et l'automobile aussitôt vira sur les roues arrières. Le cheval se mit à trembler et, soudain, comme il s'ébranlait, entendant derrière soi cliqueter cette machine effrayante, il prit peur, se cabra, lança quelques ruades, enfin, crinière au vent, partit au galop dans la plaine en emmenant toute la ferraille.

Alors les choses se gâtèrent. Herbelot, papa, Justin et moi nous lançâmes à travers les labours. Papa n'avait pas quitté son haut de forme. Il trottait comme un chevreuil et ne se laissait pas distancer. Le paysan soufflait un peu. Nous poussions tous ensmble des cris dont le cheval semblait fort excité. Il bondissait dans les sillons. La machine, à sa remorque, roulait, tanguait, pirouettait. Pour finir, elle se retourna. Notre cheval, hors d'haleine, s'abattit sur la terre grasse. Nous le rejoignîmes bientôt et nous hâtâmes de trancher les cordes.

— La bête n'a pas grand'chose, disait Herbelot. Mais la machine est gâtée. Ce doit être une grosse perte.

— Ça, dit mon père, nous verrons. Je l'ai prise sous condition et je ne l'ai pas encore payée. Au besoin, je plaiderai. Je ne veux pas qu'on se moque de moi. En tout cas, je vais la rendre.

— Ça vaudra peut-être mieux, fis-je. Elle ne me semble pas au point.

Mon père haussa les épaules et me regarda sans douceur.

Nous retournâmes à Créteil. Mon père marchait devant, avec Herbelot ete la bête. Nous allions, Justin et moi, d'une allure plus nonchalante. Quand il me parut que la distance était suffisante entre les groupes et que les voix ne portaient plus, je saisis Justin par le bras et l'étreignis avec force.

— Justin, je t'ai fait venir pour te confier quelque chose, et je n'ai pas encore tout dit.

Justin tournait vers moi son beau regard étonné.

— Ecoute, dis-je. Ecoute bien. Ce n'est pas un billet de mille francs que j'ai jeté dans la Marne. C'est seulement cinq cents francs. Comprends-tu: seulement cinq cents. J'avais deux billets de cinq cents. Alors, à la dernière minute, j'ai été, comprends-moi bien, épouvanté. Le sacrifice m'effrayait. J'ai seulement jeté cinq cents francs.

Justin me regardait sans répondre et je vis qu'il rougissait.

— Les autres cinq cents francs, je les ai conservés, pour les détruire aussi, puisque je l'avais juré. Je les ai si bien conservés que j'ai emprunté, hier, un louis de vingt francs à ton père. Mais, comment te l'avouer, Justin? je ne peux pas me décider à les sacrifier aussi. Alors, je me dégoûte, je me dégoûte. Je suis peut-être pire que Joseph. Car, lui, il est d'une seule pièce. Mais moi, moi! J'ai parlé de geste absolu, oui, j'ai dit le mot ab-so-lu. Alors je me demande si je suis autre chose qu'un menteur et un saligaud.

Justin réfléchissait encore. Et moi je n'avais pas tout dit.

— Vois-tu, Justin, cinq cents francs, c'est déjà considérable. Quand même, je ne suis pas fier. Je sais que je peux encore jeter les derniers cinq cents francs; mais je ne crois plus que j'aurai le courage de le faire! C'est trop terrible.

Justin secoua la tête et même il se prit à sourire.

— Garde-les, dit-il enfin. Non! Il vaut mieux les garder. Seulement...

Comme je le considérais avec un peu d'angoisse, il ajouta, plus bas:

— Seulement, ne dis rien à Cécile.

Il commença de m'expliquer toutes les raisons supérieures que j'avais de garder ces cinq cents francs en réserve. Il parlait avec flamme, avec esprit, avec des inventions de mots et d'arguments.

Il était très bon, Justin Weill, très bon et très intelligent.

CHAPITRE VIII

CAPRICES DE L'INSPIRATION SCIENTIFIQUE. SOUFFRANCE DES SAVANTS, PASSION DES ARTISTES. VALDEMAR OU L'ARCHANGE DAMNÉ. EXTRAVAGANCES DE Mme HENNINGSEN. CONSÉQUENCES DE L'ÉTABLISSEMENT À CRÉTEIL. UNE DEMANDE EN MARIAGE. INTERVENTION DU PETIT COQ. LA SYMPHONIE DÉPART. REGARD JETÉ DANS UNE OFFICINE. CE QUI EXPLIQUE BIEN DES CHOSES ET N'EN ARRANGE AUCUNE.

CHARLES Nicolle m'a dit un jour, parlant de notre collègue Vuillaume: « Il aurait donné sa vie, soyez sûr, il la donnerait encore, avec élan, pour faire une grande, une véritable découverte. » Dès qu'il aborde un tel sujet, Nicolle devient grave. Il a pourtant, mieux que personne, déjoué les caprices de l'esprit créateur. Il a souvent reçu la visite de l'ange.

Cette passion des savants en quête d'illumination, je la connais, je l'éprouve, je l'ai durement éprouvée. Sa vie! Qui de nous ne la donnerait pour arracher un fragment, un éclat, une parcelle au noir diamant de la connaissance. Créer, en définitive, est la seule joie digne de l'homme et cette joie coûte beaucoup de peine. Nous autres, gens de la recherche, nous souffrons à notre manière qui n'est pas trop romantique. Nous savons qu'il nous faut parfois séduire l'inspiration, lui tendre des pièges, lui montrer « des lits pleins d'odeurs légères ». Nous savons aussi que, parfois, la chance ne dédaigne pas l'homme endormi. Et nous nous assoupissons volontiers dans de petites besognes médiocres. Nous rampons sur notre chemin en espérant l'heure du bond, l'heure de l'envol surprenant.

J'ai vu des hommes comme Vaxelaire, des hommes qui jouissent aujourd'hui dun grand crédit, d'une situation honorée, passer des semestres entiers à calculer ce qu'il entre, chaque jour, aux Halles, de calories sous forme de poissons, de viandes ou de légumes, avec de sérieuses rubriques pour les salsifis et les concombres. J'ai vu Frédéric Vaxelaire vieillir en prenant par milliers et par dizaines de milliers des mesures de « conductivité électrique », des mesures, des mesures, encore et toujours des mesures. Vaxelaire n'est point un sot. C'est même un homme instruit. Il espérait sans doute qu'après tant de vides efforts, ces montagnes de chiffres accoucheraient un jour ou l'autre et mettraient enfin au clair une petite souris, une souris de vérité. Les montagnes ont grossi tout en restant bréhaignes. Vaxelaire n'a pas de génie. Il le sait, probablement, et j'aime à croire qu'il s'en est consolé, qu'il a trouvé quelque thème d'oubli. Cette souffrance des savants stériles, on la connaît mal, hors de notre profession, et surtout on ne la prend guère en pitié. La plupart de ces chercheurs infortunés sont trop fiers pour se plaindre. Ils sont aussi trop naïfs. Ils se réfugient dans l'érudition qui les trompe comme elle trompe tout le monde: entre le trouveur et l'érudit, le peuple ne voit point l'abîme.

Les artistes sont plus loquaces. Leur nature est intolérable, et donc leur souffrance évidemment intolérable. Que l'inspiration les dédaigne, ils se mettent à crier. Leurs cris, parfois, sont si poignants qu'ils ressuscitent le génie. Mes collègues du laboratoire, même quand je les sens désespérés de leur sécheresse, ne m'inspirent pas une compassion très vive: ils n'élèvent guère leur tourment jusqu'aux mots, et c'est une sage prudence; ils trouvent très vite asile dans l'enseignement, dans l'administration, dans les honneurs. En revanche, la pitié, je l'ai ressentie, forte et tenaillante, en voyant souffrir Valdemar Henningsen.

J'ai dit, dans un autre récit, et rappelé dans ce cahier ce qu'un tel compagnon avait été pour Cécile et moi. Il habitait, avec sa mère, la maison même où j'ai vécu mes années d'adolescence, rue Guy-de-la-Brosse. C'était alors un de ces êtres qui semblent avoir, dès le premier matin, reçu l'onction sacrée. Il était, à mes yeux, et sûrement aux yeux de ma sœur musicienne, la vivante image du génie. Grand, bel à voir, avec sa claire chevelure ondoyante, son teint pâle et cette encolure cambrée qui faisait dire à Mme Henningsen: « Il a de la branche, mon garçon! » il nous avait, nous, pauvres enfants encore ensevelis dans l'ombre inférieure, il nous avait délicieusement éblouis. Il fut, plusieurs années durant, notre maître, notre archange. Disgrâce unique, l'archange avait de grands pieds et des mains pesantes, dont il souffrait sans retenue. Les mains, surtout, exaspéraient une âme vraiment musicienne qu'elles ne pouvaient que trahir. Il nous avait, dès le premier jour de notre voisinage, ouvert les portes célestes, nourris d'ambroisie, introduits aux vrais dieux. Mme Henningsen, peintre de miniatures et veuve d'un Danois lettré, jouissait d'une petite fortune et, surtout, de relations précieuses dans un monde inconnu de nous. Valdemar était reçu chez Fauré, chez Chausson. Il était le zélateur et l'ami de Claude-Achille Debussy. J'ai raconté d'ailleurs comment il avait, un jour de l'année 95, amené dans notre logis le prince des musiciens français. Enfin Valdemar avait découvert notre Cécile et je pense encore aujourd'hui que, dans la gloire de Cécile, dans le rayonnement si pur de Cécile, on doit sentir errer le fantôme pathétique de Valdemar Henningsen, musicien blessé, musicien trahi.

La passion de Valdemar pour Cécile ne ressemblait vraiment en rien à l'image que peut se faire de l'amour une âme élémentaire. Valdemar n'a jamais aimé que le génie et, mieux encore, son génie. Il l'a poursuivi, furieusement, en lui-même, puis en Cécile. Il a, de bonne heure, compris qu'il ne serait jamais qu'un exécutant médiocre et il s'en est mal consolé, bien qu'il eût des ambitions plus brûlantes. Jour après jour, j'ai compris qu'il adorait en Cécile une hypostase parfaite de son être enchaîné, de son être à lui, Valdemar Henningsen. Il disait, avec une ferveur colorée d'extravagance : « C'est elle qui a mes mains... Alors il faut qu'elle obéisse ! » Cécile avait obéi longtemps, non sans goût et non sans écarts. Ainsi, de bonne heure, s'était répandue, parmi nous, une sorte de légende familière sur les fiançailles musicales de Valdemar et de Cécile. Jusqu'à sa quinzième année, si j'en crois les rares confidences que cette silencieuse m'a sans doute faites qu'à moi seul, Cécile accueillit un dessein tel, non pas avec l'exhaltation d'une petite fille émerveillée, mais avec la gravité d'une femme attentive et mûre. Cette histoire me troubla jusqu'au fond du cœur: je connaissais l'amour charmant que mon ami Justin Weill éprouvait aussi pour Cécile. Entre les deux rivaux, j'étais sincèrement déchiré.

Pendant l'hiver de 97, Valdemar fit jouer aux Concerts Lamoureux, un petit poème symphonique intitulé *Spleen* et qui portait en épigraphe le fameux vers de Beaudelaire:

Je suis comme le roi d'un pays pluvieux...

L'œuvre fut accueillie de façon courtoise: Valdemar comptait, dans la société cultivée, sinon des partisans, du moins de bons amis. Je n'oublierai pourtant jamais l'effarement douloureux qui se peignit sur le visage du compositeur dès les premiers applaudissements. « Tu peux être content, lui dis-je, c'est un succès. » Nous étions dans une loge assez obscure. Il me pinça cruellement le gras du bras et me répondit à voix basse: « Fous-moi la paix! je t'en prie, fous-moi la paix! » Ce qui me donna de l'étonnement, car Valdo cédait moins volontiers que Madame sa mère aux facilités du « langage artiste », comme on disait à la maison.

Encore qu'il eût bien des chances de convaincre un éditeur, Valdemar, malgré mes instances, jeta le manuscrit de *Spleen* dans un fond d'armoire. Ce manuscrit est, aujourd'hui, en la possession de Cécile. Je l'ai relu, bien des années après le concert, et je l'ai mieux jugé: c'est d'un écolier de Claude-Achille, et d'un écolier qui renchérit sur son maître. Ce que je n'avais pas compris tout de suite, Valdemar, lui, devait l'éprouver avec force et désespoir. Il n'était pas de ceux qui trouvent, dans l'imitation, le chemin de leur vertu personnelle. Au moment du fameux concert, il avait, si je ne me trompe, vingt-deux ou vingt-trois ans. J'eus alors le sentiment qu'il venait de recevoir confirmation de certaines terreurs secrètes. Il avait toujours été violent et lunatique; il devint, en quelques mois, inquiétant, insupportable. Il s'enfermait des jours entiers, criant qu'il travaillait, qu'il allait travailler, qu'il allait quand même falloir qu'on le laissât travailler. Comme il habitait au-dessus de chez nous, je l'entendais aller et venir, frapper du pied, renverser des chaises, bâiller longuement. Puis c'étaient de longs silences pendant lesquels je suis sûr qu'il devait dormir. Puis il bégayait au piano quelque petite phrase informe. Puis il prenait le violon ou le violoncelle, car il jouait passablement de trois ou quatre instruments. Puis il ouvrait et fermait les fenêtres. Puis on l'entendait jurer ou casser quelque chose. Puis, de nouveau, d'interminables silences.

Au sortir de ces retraites, il se montrait non pas sombre, mais agressif et verbeux. Il s'installait devant le grand piano de Cécile et se livrait à des improvisations frénétiques, nourries de réminiscences qui n'étaient pas toujours inconscientes ni même involontaires. Il devenait alors odieux. « Qu'est-ce que vous avez? disait-il en se tournant vers Cécile. Vous avez l'air de penser que ce n'est pas de moi, peut-être? C'est de moi, et c'est admirable. Vous entendez, Cécile? Admirable! Et je m'y connais. Moi, au moins, je suis un artiste. » Ensuite, pendant des semaines, il tombait en langueur, affectait de ne s'intéresser plus à quoi que ce fût, grondant à tout propos d'une voix nasonnante et molle : « Mais non, mais non, vous savez bien que je ne fais plus de musique. Je vous ai dit cent fois que je me moque de la musique et de tous vos musicâtres. A quoi bon ? La musique est finie. On ne fera plus rien de bon maintenant. C'est la basse époque. » Dès ce temps, il m'irrita fort. Il se mit à brûler tout ce qu'il avait adoré, tout ce qu'il nous avait fait adorer, reniant ses amis, ses maîtres, ses dieux, bredouillant, ânonnant des imprécations nébuleuses : « Tous des veaux ! Tous des cochons ! Vous aimez ça, vous ? Ça vous juge ? Quelle misère ! » Il nous regardait avec mépris, d'un œil trouble, chargé de regrets, d'invectives, de chamailles. J'eus alors, mais comme un jeune garçon qui n'est très sûr ni de son expérience, ni des analogies, j'eus alors, souvent, l'idée que Valdemar buvait. Je le répète, je n'avais pas une connaissance approfondie des dérèglements de ce genre et il me parut assez vite que je devais me tromper.

Alors vint une éclaircie. Valdemar écrivit une pièce pour piano qui s'appelle *Interlude en fa mineur* et que Cécile, après tant d'années, me joue, parfois, sans commentaires, quand nous sommes seuls tous deux. Je pense qu'au fond de sa détresse Valdemar connut la joie ravageuse de la visitation. L'*Interlude* est presque un chef-d'œuvre. Je le sentis tout de suite et Valdemar le sentait mieux que personne, avec, toutefois, la frayeur d'un amant dédaigné qui reçoit, comme une aumône et sans espoir d'avenir, une heure de la femme chérie.

Chose étrange, cette fleur égarée — je parle de l'*Interlude* — rendit Mme Henningsen à peu près folle d'orgueil. Elle avait, jusque-là, vécu dans la certitude placide que son fils était un être trop exceptionnel pour qu'il eût le moindre besoin de se manifester. L'excellente dame se prit à célébrer le génie de Valdemar alors que ce génie, à l'instant de succomber, lançait une suprême étincelle.

Mme Henningsen fumait beaucoup, se fardait avec rage, s'enveloppait de costumes d'une fantaisie arrogante, accablait le monde musical de sarcasmes et nous traitait, nous autres Pasquier, les humbles amis de son fils, comme des serfs émancipés. Elle portait un face-à-main et se donnait l'air de regarder les visiteurs à la loupe, ce qui, je veux le croire, était, chez elle, façon de miniaturiste. Elle disait : « Tous ces gens-là, nos compositeurs à la mode, sont de tout petits couillons. Valdo les mettra dans sa poche. N'est-ce pas, Valdo ? » Elle avait une voix de contralto, l'accent moitié slave et moitié germanique, bien qu'elle fût parisienne. Elle proférait des mots fort grossiers avec une distinction parfaite et réservait l'intonation faubourienne pour des remarques précieuses ou des jugements artistiques. Elle disait, à tout instant, quand elle recevait de leurs amis : « Valdo, mon cher, joue-leur ton machin... tu sais, ton Interlude. » Valdemar dut le jouer deux ou trois fois de bon cœur. Puis il bouda, puis il se fâcha. « Toujours l'Interlude ! grondait-il. On dirait que je n'ai fait que ça. » Un jour, il se prit à rire et répéta : « Je n'ai fait que ça. Bien évidemment, que ça ! » Et, soudain, il blêmit, bleuit, prit une colère convulsive au cours de laquelle il brisa sur les tapis d'orient les petites lampes à pétrole toujours odorantes et transpirantes que l'on fixait, avec des manchons à ressorts, dans les bougeoirs du piano.

En de tels cas, Mme Henningsen mettait son chapeau et nouait sa voilette qu'elle aspirait et pinçait entre ses lèvres serrées. Elle descendait dans la rue avec son chien, livrant l'atelier, l'appartement, la maison entière aux fureurs du garçon. Parfois, je descendais moi-même et j'apercevais, sur le trottoir, la dame vêtue de mousseline, de tulle, de crêpe vaporeux, qui regardait, d'un air méditatif et intéressé, le griffon, au bout de sa laisse, en train de lâcher parcimonieusement de l'eau.

Ses colères épuisées, Valdo retombait à l'indolence. Un jour, il me saisit par le col et commença de sangloter contre mon épaule. Il disait, parlant de soi, peut-être par pudeur, à la troisième personne, il disait : « Rien ! Absolument rien ! Il ne fera jamais rien. Et il le sait, il le sait. »

Deux ou trois jours plus tard, le soulagement se frayait des avenues. Valdemar avait découvert un petit maître inconnu du XVIe siècle italien. C'était sa merveille, c'était son Baruch. Il en parlait une semaine. Il nous conviait au festin avec une ferveur tyrannique. Et quand il avait réussi, quand il nous avait fait aimer l'objet de son engouement, alors, il le vomissait, le déchirait, le reniait, tâchait à nous convaincre d'ignorance et de mauvais goût.

Cécile, dans toutes ces querelles, montrait une froideur extrême. Je pense que, dès ce temps, elle avait jugé Valdemar. Quand il fut question, pour nous, de l'émigration à Créteil, Valdemar eut des transports.

Il commença par déclarer que la carrière de Cécile allait se trouver perdue. Il ajouta que ce serait bien fait, que Cécile ne méritait pas autre chose, qu'elle était hautaine et glacée, qu'elle ne comprendrait jamais rien à la pure souffrance de l'artiste.

Cécile écoutait, droite et sévère, ces folies qu'elle avait, cent fois, entendue de la même bouche. Elle écoutait et sa lèvre supérieure tremblait sur ses dents éclatantes. Alors, comme toujours, Valdemar se mit à genoux, pour finir. Il demanda son pardon avec de grands éclats d'orgueil. Malgré moi, j'assistais souvent à leurs tristes scènes d'amour. Valdemar disait : « Tu peux aller dans ce Créteil. Je t'y suivrai, je te suivrai partout. Et dans deux ans, exactement deux ans, je t'épouserai. Jure-moi que je t'épouserai. »

Il serrait, autour des genoux de Cécile, une étreinte qu'elle dénouait d'un doigt calme, obstiné. Encore blême de colère domptée, elle répétait, serrant les mâchoires : « Mais oui, nous nous marierons, puisque je vous l'ai promis. »

Dès que nous fûmes à Créteil, les choses changèrent d'allure. Une, deux, trois fois la semaine, Valdemar venait nous voir ou, pour mieux dire, voir Cécile. Il n'était plus notre voisin, l'Ariel de la maison, le génie voltigeur que l'on rencontrait dans l'escalier. Ce qu'il avait de singulier, d'excentrique, d'anormal pour tout dire, devint aussitôt plus visible. Joseph disait : « C'est un esthète ! » Là-dessus, Joseph levait le regard au ciel et feignait de tenir une fleur imaginaire entre le pouce et l'index de la main gauche.

Sans doute parce que le cadre de notre vie venait de se transformer, j'eus alors, de Valdemar, une vue plus claire, plus cruelle. Il commençait de se négliger un peu. Lui, si soigneux jusque-là dans le choix de son vêtement, marqua d'étranges faiblesses. Il tolérait les plis, les taches, la poussière. Il abandonnait au hasard et son linge et ses cravates. Il exhalait une odeur sucrée de tabac d'orient et de pharmacie. Un jour que j'en fis la remarque, il répondit avec un regard sournois: « Tu sais bien que l'on me soigne. Tu sais bien que je suis neurasthénique. Alors, ne me tourmente pas. Ne t'occupe donc pas de moi. »

Il s'asseyait sur une chaise et glissait à d'inconcevables rêveries. Son regard semblait dormir, un regard à larges pupilles, ouvertes sur des abîmes bleus. Parfois sa bouche s'entr'ouvrait et la lèvre abandonnée laissait glisser une longue et pesante goutte de salive. Ses colères devenaient plus rares. Il avait l'air indifférent, lointain, surtout lointain. Et c'est vers ce temps-là que je le pris en horreur.

Petit à petit, notre famille, le clan Pasquier, sans relâcher son étreinte, s'aérait, se déployait. Ferdinand et Joseph n'ont jamais amené grand monde à la maison. Joseph qui, depuis, a connu tout Paris, Joseph n'a jamais eu d'ami véritable. Il n'était d'ailleurs aucunement tenté d'introduire dans notre intérieur les gens avec lesquels, à cette époque de sa carrière, il nouait et dénouait toutes sortes d'obscures petites affaires. J'ai quelque raison de croire qu'il ne devait guère, au dehors, parler de nous, sinon dans un dessein de prestige et de publicité: « Mon père, le docteur... Ma sœur, cette artiste universellement admirée... Mon jeune frère, un savant du plus grand avenir... » Si j'ai gravé, dans mes tablettes intimes, cette maxime rigoureuse: *Ne pas vouloir passer pour ce que l'on n'est point,* c'est en songeant à Joseph, c'est pour prendre, à toute force, le contre-pied de Joseph.

Donc Joseph n'amenait presque personne à la maison. Ferdinand, quand il vit paraître mes camarades, eut des velléités de concurrence. Il invita, certain dimanche, un jeune homme de son bureau. Joseph n'en fit qu'une bouchée. Le jeune homme, épouvanté, ne reparut plus. D'ailleurs Ferdinand venait de se fiancer et ce phénomène fut marqué non par l'exubérance, l'appétit d'azur, le prélude au vol nuptial, mais par le reploiement, le chuchottement, la retraite, bref le catimini dans toute sa perfection.

C'est donc moi qui, vers ce temps, et j'y reviendrai plus loin, attirai à la maison des amis, des camarades. Valdemar montrait une bien étrange figure au milieu de cette jeunesse. Encore que je fisse au mieux pour qu'il ne rencontrât pas Justin, bien souvent la conjoncture se trouvait inévitable. Elle m'irritait beaucoup. Valdo n'était pas bon joueur. Rival heureux, il ne trouvait dans son succès ni l'apaisement, ni même une raison de courtoisie, de mesure. Il reprenait flamme, engageait des discussions diffluentes sur l'art et la poésie. Justin s'animait. Il me fallait veiller à l'orage et faire des prodiges de manœuvre. Heureusement, dans ces controverses, Justin se montrait gentilhomme; il ne tolérait jamais qu'elles glissassent à la laideur.

Mme Henningsen, depuis notre installation à Créteil, ne nous avait fait qu'une ou deux visites et s'était montrée d'ailleurs on ne peut plus désagréable. La persévérance de son fils dans un dessein qu'elle jugeait et déclarait absurde lui donnait beaucoup d'humeur.

Le moment vint où Valdemar, avec un entêtement moins ardent que maladif, parla de fixer une date, de prendre des dispositions définitives pour son mariage, et je compris que nous allions vers des temps difficiles.

Valdemar avait alors un peu plus de vingt-six ans. Il participait de la petite fortune maternelle, ce qui simplifiait quelque peu l'idée d'un établissement. Notre père, à ce propos, marquait la plus souriante indifférence. Il nous a nourris, veillés, protégés somme toute longtemps ; je ne peux certes, à son sujet, évoquer le libre poisson qui sème sa graine au hasard ; mais il avait toujours l'air de dire : « Mes enfants, débrouillez-vous. Moi, je me suis bien débrouillé. Tout s'arrange, et j'en suis une vivante preuve. Quant à vos petites affaires, à vos sentiments, à vos amours, faites comme il vous plaira. Et surtout, ne vous occupez pas plus de moi que je ne m'occuperai de vous. »

Si mon père pensait ainsi, et j'ai tout lieu de le croire, ma mère, en revanche, vivait dans une alarme permanente, l'œil mobile et l'oreille au guet. De tous ses enfants, c'est assurément Cécile qu'elle pouvait le moins comprendre. Cécile a dû l'intimider, ce que n'ont fait ni Suzanne avec sa beauté, ni Joseph avec son argent, et ni moi-même. Que ma mère ait mesuré la misère de Valdemar, je pourrais l'affirmer. Alors, avec un sens étonnant de la tactique et du péril, ma mère s'efforçait de temporiser. Elle invoquait à tout propos l'extrême jeunesse de Cécile, repoussait toute décision dans un avenir assez lointain pour laisser place à la surprise, au fait nouveau, à tel événement sauveur.

Malgré cette conduite avisée, les choses allèrent leur train et, quelques jours après les événements que j'ai racontés, Mme Henningsen, sur les instances de son garçon, vint à Créteil pour une démarche que nous appelions, à voix basse, « la demande officielle ».

Elle arriva dans un fiacre, à la fin de l'après-midi. Valdemar était là depuis le matin. Il avait déjeuné chez nous, se traînant de pièce en pièce et de la maison au jardin, écoutant d'une oreille distraite les exercices de Cécile qui ne lâchait point le piano. Mme Henningsen arriva donc et la « demande officielle » fut la scène la plus vague et la plus ridicule du monde. Ferdinand se promenait sur le bord de la rivière avec sa fiancée. Joseph était allé voir les jeunes gens du pays jouer une partie de ballon au pied, ce qui était une coutume anglaise alors dans sa fleur chez nous. Sereine à désarmer les démons, Cécile était en train de lire d'impalpables pièces de Couperin qu'elle appelait « musique du dimanche ». Mère et Paula Lescure cousaient, dans le salon, ce qui n'était pas ordinaire. J'écoutais Cécile, en tétant, à joues distraites, une petite pipe de merisier. Mme Henningsen entra, la canne en main, comme les marquises pour toile de Jouy. Elle soufflait un peu, car elle commençait à prendre de l'embonpoint. Cécile descendit tout de suite et mon père, qui faisait dans le jardin une de ces promenades ravageuses dont je parlerai bientôt, vint nous rejoindre au salon. Paula Lescure se leva pour préparer le thé. Affaissé, jambes éparses, sur le canapé Louis-Philippe, Valdo regardait une mouche qui marchait au plafond. Tout le monde manifestait une grande gêne. Mme Henningsen tenait son face-à-main plié, les deux verres l'un sur l'autre, et le portait à son œil droit en fronçant fort le sourcil, ce qui n'allait pas sans grimace. Elle commença par des propos grognons sur le pavé de Créteil, puis, brusquement, elle dit, se tournant tout d'une pièce :

— Alors, Cécile, c'est sérieux. Tu veux absolument épouser mon fils ?

Cécile est naturellement blanche. Ceux qui l'ont vue sur la scène du concert connaissent bien cette pâleur radieuse, ce beau front de marbre candide qui, pendant l'élévation de l'âme, trouve la force de se purifier, de pâlir encore. Cécile pâlit parfois, elle ne rougit jamais. Or, ce jour-là, je vis Cécile rougir. Une rougeur violente, d'un seul jet. Une de ces rougeurs qui font mal à l'œil qui les regarde. Cécile rougit ainsi.

— Madame, dit-elle, je ne veux rien. Je ferai ce que Valdemar voudra.

Mme Henningsen éclata de rire. Son rire était humide et s'achevait en toux, car la dame fumait beaucoup trop et souffrait souvent de la gorge. Elle hoquetait :

— Ce que voudra Monsieur Valdemar ! Comme c'est joliment dit ! Petite résignée, va ! Petite sacrifiée ! Enfant martyr ! S'il le faut, nous l'épouserons, ce Valdemar. Que faites-vous, Mademoiselle Pasquier ?

Mme Henningsen, qui nous avait vus tout enfants, Cécile et moi, nous tutoyait et, parfois, nous disait « vous » avec une emphrase théâtrale. Elle répéta :

— Non, mais que faites-vous, mademoiselle ?

Cécile était, de nouveau, fort calme. Pourtant, elle montrait son regard Pasquier, un regard d'un bleu polaire et qui n'annonçait pas la paix.

— Madame, répondit-elle, si Valdemar veut que je l'épouse, eh bien ! je l'épouserai. Je ne lui dois pas moins. Comme c'est tout ce que je peux dire et que je l'ai dit, je vais sortir d'ici, avec votre permission.

Et Cécile sortit, très vite. Valdemar avait noué puis dénoué ses longues jambes. Il semblait percevoir les mots avec un léger retard. Il cria, la voix furieuse :

— Maman, tu vas tout gâcher, comme tu fais toujours et partout.

Il quitta la pièce en courant.

— C'est admirable, s'écria Mme Henningsen. Voilà ce grand dadais qui me dit des sottises ! Et moi qui ne pense qu'à lui dans cette méchante histoire.

Papa souriait et son sourire lui découvrait les canines. Je sentais que, de lui, nous n'avions rien à craindre : Mme Henningsen le déconcertait un peu. Il souriait donc et pianotait, l'air gêné, sur les bras de son fauteuil. J'étais d'ailleurs beaucoup trop ému moi-même pour observer très attentivement mon père. Mme Henningsen mit un doigt dans son jabot, en fit mousser toutes les dentelles et dit, traînant les syllabes :

— Inutile, chère madame, de vous cacher que je trouve ce mariage absurde.

— Comment l'entendez-vous, madame ? fit posément notre mère.

Il y eut un froid profond. Les deux dames se mesuraient du regard. J'admirais beaucoup ma mère en des circonstances telles : son humble visage fatigué, gonflé, creusé de mille plis souffrants, se durcissait fibre à fibre, prenait de la majesté, de la beauté sévère. Elle attendait, surveillait les moindres mots, parlait avec une surprenante douceur.

— Vous êtes une bien trop bonne mère, prononça Mme Henningsen, pour ne pas savoir qu'on fait toutes sortes de rêves, quand on songe à ses enfants.

Maman secoua la tête de haut en bas, sans rien dire. Mme Henningsen reprit, la lèvre serrée, haussant le ton petit à petit :

— J'aime beaucoup votre Cécile. C'est une petite fille très douée. Mais quoi ! des enfants doués, j'en ai rencontré pas mal. Valdemar fera ce qu'il voudra, bien sûr. Il est plus que majeur. Et rien ne m'empêchera de penser que ce mariage, pour lui, représente une mésalliance.

Pour prononcer ce beau discours, Mme Henningsen avait pris cette voix d'impératrice que je ne lui pouvais souffrir. Je sentis que j'allais éclater. Ma mère avait levé l'index d'une manière imperceptible. Elle ne répondit pas tout de suite. Je vis que son menton tremblait et qu'elle s'efforçait d'arrêter ce tremblement.

— Madame, dit-elle tout bas, je ne sais si les grands services que vous avez pu rendre à Cécile vous donnent le droit de nous insulter aujourd'hui. N'importe, je vous répondrai que s'il était en mon pouvoir de convaincre Cécile, tout serait fini ce soir, car j'estime, moi aussi, pour des raisons assez différentes des vôtres, j'estime que ce mariage est une folie. Ne souriez pas, madame. Je n'ai pas l'intention de vous renvoyer la balle. Je pense, de toute façon, que le mariage ne pourrait être fixé avant le printemps prochain.

Mme Henningsen haussa les épaules.

— Laissez-moi vous dire, répondit-elle, que je vous trouve bien chatouilleux, ici, tous autant que vous êtes. Qui parle d'insulter personne ? Je dis ma pensée, tout net, mais je ne veux pas vous blesser.

— Eh bien ! fis-je en me levant et en criant très fort, si vous ne vouliez pas nous blesser, vous l'avez quand même fait. Comment! Il s'agit de Cécile! Mais, madame, un roi, vous entendez? un roi ne ferait pas une mésalliance en épousant ma sœur Cécile. Ce serait tout le contraire, madame.

La visiteuse éleva son face-à-main, m'examina pendant quelques secondes et se prit à rire.

— Voyez-moi ce petit coq! Qu'est-ce donc qui te prend, mon cher? Sais-tu que tu nous embêtes, avec tes mouvements de cœur, tes élans, tes histoires, tes effusions, ta belle âme?

— Soyez sûre, madame, que je ne vous embêterai pas, comme vous dites, beaucoup plus longtemps.

Pendant que je tirais la porte, j'entendis Mme Henningsen qui disait en s'esclaffant:

— C'est la symphonie-départ. Vraiment, je mets tout le monde en fuite.

Je m'en fus dans le jardin. La fin du jour était morose. J'épuisais ma colère en marchant dans les allées. Valdemar devait être à consoler Cécile, à la quereller sans doute. J'allais, frappant du pied, le front chaud, les dents crissantes. Et, soudain, comme je passais devant cette officine qu'on appelait le laboratoire et dans laquelle mon père entreposait ses instruments, ses éprouvettes et ses fioles, j'entendis un léger bruit. La porte était entrebâillée. Je la poussai tout doucement et j'aperçus Valdemar. Il me tournait presque le dos. Il avait ouvert l'armoire où se trouvaient rangées les drogues. Il tenait un flacon dont il transvasait le contenu dans une petite bonbonnière. Cette besogne l'absorbait si bien qu'il ne m'entendit point entrer.

— Qu'est-ce que tu fais là? lui dis-je.

Il eut un mouvement nerveux et se ressaisit tout de suite:

— Rien. Je m'amuse. Je regarde.

A ce moment, j'aperçus l'étiquette du flacon et j'eus le cœur serré. Le regard de Valdemar, sa démarche, ses tristesses, ses fugues, ses impatiences, ses rêveries, tout m'apparut soudain dans une terrible lumière.

— Oh! fis-je, d'une voix tremblante, mais tu es fou! Tu es fou!

Il rusait encore et s'efforçait de rire.

— C'est pour un ami. Sois sûr que je ne me pique pas. Sois sûr que ce n'est pas pour moi. C'est pour un ami, Laurent.

Je le regardais, gravement, des larmes au bord des paupières. Alors, changeant de ton, me meurtrissant les poignets, il se prit à vociférer:

— Jure-moi que tu ne diras rien. D'abord, je n'en ai pris qu'une fois, rien qu'une petite fois. Jure, Laurent, jure! Veux-tu que je me mette à genoux? Veux-tu que je me traîne par terre? Si tu dis quelque chose, on voudra me priver de tout, me coller dans une maison de santé, me guérir, enfin, je ne sais quoi. Si tu dis quelque chose, Laurent, je me tuerai, et ce sera ta faute, oui, ta faute à toi, Laurent. Jure que tu ne diras rien.

— Non! répondis-je en secouant la tête, je ne peux pas te jurer ça.

— J'affirme, disait-il, que je n'en chipe jamais ici, chez ton père, que c'est la première fois. Non, la deuxième fois, pas plus. Tâte mes poches: pas de seringue. Si jamais Cécile apprend quelque chose, je saurai de qui ça vient. Tiens, je vais me mettre à genoux. Je vais me traîner par terre devant toi.

Il se mit à genoux. Il répétait : « Ne dis rien ! » et je ne savais comment faire pour l'empêcher de crier.

CHAPITRE IX

LA DOCTRINE DE L'ÉTERNELLE JEUNESSE ET LES RAFFINEMENTS COSMÉTIQUES. RETOUR À LA TERRE. USAGE INTEMPÉRANT DU SÉCATEUR. UN JARDIN BIEN SOIGNÉ. CHICO, CHICOCANDO. UNE FAUSSE MAIGRE. GALERIE DE MENUS PORTRAITS. CHAMAILLE POLITIQUE. DÉCLIN DE LA BOURGEOISIE. JOSEPH EN PROIE AU LYRISME MATÉRIALISTE.

NOTRE maison, chaque dimanche, était secouée d'un accès de fièvre. Le lundi ramenait la paix. Mes frères gagnaient Paris où j'allais moi-même souvent, car je préparais déjà la reprise de mes études. Dès sept heures, mon père était à sa toilette. Il y donnait le plus grand soin, dont j'étais, sans en rien dire, exaspéré. La « doctrine de l'éternelle jeunesse », que mon père professait avec une intempérance accrue de saison en saison, trouvait là ses applications pragmatiques. Il avait installé dans sa chambre une large table à expériences. Il y disposait les pots de crème, les flacons de vinaigre, les alcoolats, les onguents, le tout plus ou moins de sa façon. Il prenait aussi des pilules, des gouttes, des élixirs dont il variait la formule et dont il chantait merveille en s'offrant volontiers comme exemple démonstratif. Il se faisait la barbe avec un rasoir à l'ancienne mode et, pendant cette opération la tribu retenait son haleine, car il sacrait beaucoup défendait qu'on l'approchât à moins de quatre mètres ne répondait mie aux questions pressantes, tirait d'une éraflure et d'une seule goutte de sang la matière de fumantes querelles. Le rasoir au fourreau, mon père s'aspergeait d'eau froide, pour « tonifier l'épiderme »; puis il passait des crayons, des cristaux d'alun, des pâtes adoucissantes, s'armait d'une pince, faisait la chasse aux poils follets, aux points noirs, aux menus boutons, aux peaux mortes, aux dartres errantes. Avec toutes sortes de petites brosses et de pinceaux, il appliquait, sur sa moustache et sa chevelure, des huiles, des eaux, des essences quil préparait en secret et qui l'enveloppaient, pour tout le jour, d'une tenace odeur d'officine. Il n'en a jamais souffert : il n'avait point d'odorat. Puis il s'éclaircissait la voix avec deux ou trois gargarismes. Je le surprenais parfois au fond de cette alchimie. Si j'en étais furieux, c'est que malgré nos discords, je ne pouvais souffrir l'idée que cet homme extraordinaire glissât jamais dans le ridicule. Mais, en cela comme en tout, il n'entendait pas conseil.

Parfois, les soins surabondants lui gâtaient l'épiderme et lui donnaient des rousseurs. Il en demeurait consterné : il n'a jamais conçu que l'excès fût une faute. Il attribuait ces petites déconvenues à l'intervention maladroite de quelqu'un d'entre nous.

Toutes ces assurances prises contre « l'irréparable outrage », il descendait au jardin et, là, devenait un autre homme. Mon père, fils de petites gens, mi-paysans, mi-jardiniers, s'était détourné de la terre pour « s'élever par le savoir », comme il disait volontiers. A peine eut-il un jardin, le désir de gratter le sol aussitôt le tourmenta. Il bêchait, il binait, il sarclait, bientôt ruisselant de sueur, la chemise bouffante au-dessus du pantalon, dédaigneux du soleil, du vent, des ondées, saisi de fureur géorgique. Il oubliait l'heure, négligeait ses devoirs, jetait notre mère en transes. Elle arrivait au jardin, une serviette dans la main gauche et, dans la main droite, un flacon de baume à la térébenthine. Le laboureur consentait, non sans grondements et sarcasmes, à se laisser bouchonner. Il retournait à sa toilette, se livrait quelques instants encore à son génie cosmétique et s'habillait pour sortir.

Outre les remontrances de maman, le jardin valut à mon père bien des noises avec nous autres. Ce jardin nous avait plu, dès le premier regard. Il était, somme toute, petit, mais non sottement tracé. Il était surtout assez libre, avec ses quelques grands arbres, une pelouse qui prenait le meilleur de l'espace et même une allée bordée de jeunes tilleuls. Mon père eut vite fait d'exercer sur cette nature une espèce de tyrannie. Il déambulait, sécateur en main, l'air tantôt méditatif et tantôt inquisiteur. S'il se prenait à rogner, le ravage était grand. Quand nous revenions, le soir, nous avions quelque raison de pousser des cris de fureur : il ramenait un bosquet à l'aspect d'un plumeau, réduisait les espaliers au squelette élémentaire, attaquait les grands arbres avec l'échelle double, bref s'intéressait à tout, même aux plantes grimpantes, au lierre, à la vigne folle. Il donnait à cette chirurgie des prétextes rationnels et je l'ai vu s'escrimer sur les lilas en consultant une encyclopédie rustique. Un jour, pendant notre absence, il fit tomber un des grands arbres, avec la complicité du tâcheron Herbelot. Malgré les difficultés, l'opération fut menée à bien, si j'ose ainsi parler, en une seule matinée. Le soir, il nous expliqua, non sans sourires bleu-pervenche, que cet arbre empêchait de fleurir un rosier du meilleur effet. Le rosier tenait dans un pot et l'arbre était un érable panaché, le plus noble seigneur du jardin. Ce fut la seule fois de notre vie où Joseph, Cécile, Ferdinand et moi-même nous trouvâmes parfaitement d'accord, au moins dans la réprobation.

Papa, d'ailleurs, poursuivit obstinément ses expériences mutilatrices. Il prenait, à désherber, un plaisir dont j'ai pu souvent, de loin, observer les étranges détours. Il commençait rêveusement, se penchant, de-ci, de-là, arrachant un vague séneçon, un mouron rouge, une moutarde, toutes proies qui ne résistent guère. Il apercevait alors quelque adversaire plus tenace : une renoncule, une oseille sauvage, et s'acharnait à l'extraire. Parfois c'était un liseron à la racine interminable, parfois une quintefeuille, parfois un pissenlit qui n'entendait pas céder. Alors il s'agenouillait et commençait de fouir. D'une main, de l'autre, il saisissait les chiendents, les euphorbes, les herbes folles. Il semblait bientôt soulevé de rage purificatrice. Il ne voulait évidemment pas s'en aller avant d'avoir guéri de tous les parasistes la plate-bande qui s'offrait là. Puis, je l'entendais jurer. Il s'arrêtait une seconde et je comprenais qu'il venait de commettre une erreur, de détruire une bonne plante : une salade ou un fraisier.

Il se remettait à l'ouvrage, sarclant avec frénésie. Puis c'était un nouveau juron: une autre bonne plante sacrifiée. Alors il entrait en rage et commençait d'arracher tout, les bonnes plantes et les mauvaises, d'un même geste déblayeur.

On comprend qu'à ce régime notre jardin souffrit beaucoup. Mon père n'entendait rien à nos représentations, considérait l'espace désert où s'ébattait son talent et disait, la voix vinaigrée: « Je me donne pourtant beaucoup de mal pour vous faire un jardin propre, et vous n'êtes jamais contents. » Il retournait alors, pour une heure, à ses drogues, à toute cette petite cuisine qui le divertissait encore. Puis il prenait son haut de forme et, soit à pied, soit en voiture, allait visiter ses clients.

Les visites, malheureusement, ne le surmenaient pas trop. Ce premier accomplissement d'un rêve si longtemps choyé fut, pour mon père comme pour nous, une amère déconvenue. Nous autres, les enfants, nous ne l'éprouvions qu'à demi: nous avions nos voies à tracer, nos désirs et nos travaux. Malgré la discipline du clan, nous sentions le vent dans nos ailes. Mon père, après une vie bourdonnante et voltigeuse, avait soudain le sentiment d'être enchaîné jusque dans ses loisirs. Et les loisirs ne manquaient point. La clientèle était rare. Il y avait, dans le pays, deux confrères soupçonneux, que mon père ne laissait pas de traiter cavalièrement et qui s'employaient de leur mieux à le ruiner de crédit. Il y travaillait lui-même par son goût des caprices, des esclandres, de la bravade. Tout cela lui valait de longues heures de solitude piétinante qu'il partageait entre ses fioles et son jardin. En cette épreuve comme en toutes, ma mère fut sage. Elle disait: « Vous êtes bien pressés! Une réputation, ça ne se fait pas en six mois. Il faut, Ram, que tous ces gens aient le temps de te voir à l'œuvre. Nous avons attendu dix ans que tu aies ton diplôme. Il en faut bien au moins deux ou trois pour que tu aies du succès. » Ces consolantes paroles apportaient du calme et ne faisaient point finances. Nous vivions petitement. L'héritage de tante Mathilde, suspendu pendant trente ans, par une chance de la loi, venait donc de tomber à point.

Parfois, père se découvrait quelque raison d'aller à Paris. Il attelait le cheval et semblait soudain délié. On ne le revoyait que le soir. Il apprenait alors que la boulangère avait accouché sans lui, qu'il était venu trois personnes à la consultation, chiffre presque prodigieux, qu'on l'avait demandé pour Bonneuil, mais que les gens, las d'attendre, étaient allés chez un confrère. Alors il faisait une colère à grand orchestre, qualifiait avilissante et vexatoire cette profession qu'il avait si passionnément souhaitée, saisissait le sécateur, exécutait sur les arbustes du jardin quelque taille de cette variété que j'appelais radicale parce qu'elle arrivait très vite à la racine, se réfugiait, pour finir, dans le laboratoire où nous l'entendions fredonner, d'une voix soudain rafraîchie, cette chanson mystérieuse qu'on chantait en son jeune temps:

Chico,
Chicocando,
Batifol et ripenpette.
Chico,
Chicocando,
Batifol et ripenpo.

(Je ne garantis pas l'orthographe.)

Il faisait des stations méditatives devant le baro-
nètre à mercure qui nous avait suivis depuis ma petite
nfance dans nos établissements divers et qui perdait
chaque étape de grandes larmes frémissantes. Il
ommençait, soi-disant pour le jardin, de s'affecter
le la pluie, de la sécheresse, du vent d'est et du vent
l'ouest. Parfois, je l'apercevais, arrêté devant un mur
où grimpait un polygonum. Il m'adressait un petit
igne de l'œil et me montrait une chenille qui se
léplaçait dans le feuillage en faisant, par des rappro-
hements successifs de la tête et de l'arrière train, des
spèces de pas arqués. Il disait, avec un de ces
ourires azurins qui ne manquaient point de charme:
« Qu'est-ce que tu penses qu'elle veut? Se nourrir?
Peuh! C'est vite fait. Elle veut surtout avancer, c'est
ien cela, foutre le camp. Comme moi, mon cher, comme
noi. Non, je ne resterai pas longtemps dans ce sale
pays. »

A de telles confidences furtives se bornait notre
ntimité. Deux minutes plus tard, il donnait de la voix
lans la remise ou les étages. Une minute encore, et
'était le laboratoire. J'entendais le refrain railleur qui
aisait vibrer les bouteilles:

Chico,
Chicocando...

Dans cette paix mal supportée, le dimanche arrivait
lu moins comme une diversion. Nous étions tous réunis
t nous recevions souvent la visite de mes camarades.
Mon père, bien qu'il ne l'avouât point, y prenait plaisir,
parce qu'il trouvait là du mouvement, de la vie, de
a jeunesse.

Claire Baraduc, la fiancée de Ferdinand, venait souvent dès le matin. C'était alors une petite personne presque fluette, et j'ai peine à l'évoquer telle, voyant ce qu'elle est devenue. Ferdinand l'avait rencontrée dans son administration où elle occupait un emploi. Elle possédait le brevet supérieur, une petite dot de quelques milliers de francs en obligations turques et un trousseau préparé pièce à pièce, depuis l'enfance, trésor dont Ferdinand parlait avec orgueil. Claire montrait un sourire plaisant, de beaux cheveux, des dents saines. Ai-je tout dit? Non, sans doute. Elle portait un pince-nez qui voilait de beaux yeux de chien, dorés, grands, sous d'épais sourcils. Papa l'appelait « ma fille », par provision, et lui disait, d'une voix galante, maintes plaisanteries compliquées auxquelles Claire n'entendait rien et dont je sentais qu'elles étaient aux limites de l'inconvenance. Ferdinand, dès cette époque, se montrait fort jaloux. Les gaillardises de papa l'irritaient d'autant plus qu'il n'y comprenait goutte, pas plus que Claire et que nous autres. Il n'était pas toujours de force à cacher son agacement et, comme il manquait de souplesse, il montrait tout de suite les dents. Il disait: « Je t'ai déjà prié de laisser Claire tranquille. » Claire, effarée, perdait son lorgnon, papa se redressait, « poitrinait » paisiblement et disait, en tirant sur ses belles moustaches de soie: « Mon cher, ne laisse pas croire à cette enfant qu'elle va épouser un butor. Les gens de ta génération ne savent pas parler aux dames. » Ferdinand se prodiguait en colères postillonnantes.

Un jour, papa saisit la petite Claire par la taille et dit, l'accent léger: « Ma parole, c'est une fausse maigre. » Ferdinand pâlit et j'eus vraiment peur d'un éclat. Déjà, M. le Docteur Pasquier, notre père, parlait d'autre chose.

Le plus souvent, Ferdinand s'emparait de Claire et la bloquait dans un coin. Là, retranchés tous deux dans une myopie jumelle et vraiment inexpugnable, ils se prenaient à chuchoter. Je commençais de comprendre, dès le temps de ces fiançailles, que si l'âme d'un homme est un domaine secret et difficilement accessible, il est une retraite mieux close et plus ténébreuse encore et que c'est l'âme d'un couple.

Ce fut par hasard, au début, que certains de mes camarades entrèrent dans notre maison. J'avais, pour ce qui touchait le clan Pasquier, un amour-propre maladif. Justin mis à part, je redoutais d'amener des amis chez nous, à l'idée qu'ils pourraient juger ma mère, mon père et même Joseph, et même Ferdinand. Je confesse volontiers cette faiblesse orgueilleuse: je m'en suis assez bien guéri. Longtemps, dans ces réunions, j'ai montré piètre figure, tout occupé que j'étais de concilier, au fond de mon cœur, beaucoup de sentiments contraires.

Un dimanche, en me promenant au bord de l'eau, j'aperçus l'équipe Schleiter, — tous mes compagnons de travail, — qui canotait sur la Marne. Il me fallut monter dans une des barques, travailler de l'aviron, chanter avec tout le monde. Il y avait là Roch, Vuillaume, Hélène Strohl, Chabot et Schleiter, notre capitaine, solennel même en maillot de bain. Vers le soir, dans l'enthousiasme, je les conduisis chez nous et ma mère leur fit du thé. Ils revinrent, par la suite. Joseph nous accompagna plusieurs fois dans nos parties. Joseph manquait de légèreté, mais il jouissait d'une grande puissance musculaire et s'attirait ainsi la considération d'intellectuels qui, pourtant, n'étaient pas encore gagnés par les frénésies sportives. Au cours de ces rencontres, Joseph m'étonnait beaucoup. Il épiait mes compagnons avec une curiosité railleuse et ne perdait jamais une occasion de les surprendre en mauvaise garde et de leur pousser une botte. C'étaient des gens d'une autre caste et, malgré qu'il en eût, je suis sûr que Joseph éprouvait un respect superstitieux pour ce qu'il ne comprenait pas. Il ne l'avouait guère et comme, à cet étrange respect, se mêlait beaucoup d'aversion, il attaquait volontiers et cherchait l'avantage. Il redoutait, entre autres, l'intelligence acérée de Schleiter et se refusait pourtant à lui marquer la moindre considération. Il ne disait pas « **Monsieur** », politesse des plus vagues, il disait « vous » en traînant sur la diphtongue. Schleiter, un jour, articula, de sa voix sèche et cinglante :

— Si vous ne trouvez pas mon nom, pous pouvez toujours m'appeler « mon cher maître ».

— C'est vrai, répondit Joseph avec une fausse bonhomie. C'est vrai, vous avez l'air d'un huissier de province.

Les deux adevrsaires se regardèrent une seconde. Ils souriaient froidement. Je fis dévier l'entretien en me jetant à la traverse. L'idée que Schleiter pouvait férir Joseph et l'atteindre aux points sensibles m'indisposait assez vite.

Eugène Roch laissera trace dans l'histoire des sciences biologiques. Son œuvre est aujourd'hui connue de tous et je n'ai pas lieu d'en parler dans cette chronique non des faits, non même des idées, mais, si j'ose dire, des âmes, La vraie tragédie de Roch, on ne la trouve pas dans ses livres: elle s'est jouée sur son visage. Roch était, physiquement, d'une laideur extrême et, surtout, incompréhensible. Je n'ai guère vu, dans ma vie, que deux laideurs de cette sorte. La seconde est celle d'un homme que j'ai rencontré, jadis, en Finlande, à Helsingfors, dans la petite église russe. Cet homme avait des traits réguliers, le teint blanc, sans rien d'anormal, certes, et pourtant il était si laid, d'une laideur interne si sauvage et même si cruelle que je n'y ai pu résister et qu'il m'a fallu sortir pour ne point céder au malaise. La laideur de Roch était un peu différente. Roch n'avait pas des traits hideux et non plus aucune de ces affections de la peau dont la vue soulève la répugnance. Il ne jouissait pas d'une de ces laideurs sympathiques, saines, amusantes, pittoresques dont les femmes sont curieuses. Non, il était laid d'une laideur morose et inanalysable. Je me suis toujours défendu soit de voir dans cette laideur le témoignage involontaire d'une âme souillée, soit de chercher, à la façon des romantiques, une antithèse poignante entre des traits malheureux et des vertus sublimes. Ce dont je suis sûr aujourd'hui, c'est que Roch a patiemment lutté contre son visage. Il a lutté sans espoir et sans relâche. Chose remarquable, il a triomphé. Aujourd'hui, la vieillesse lui donne tout apaisement. Il n'est point un horrible vieillard. Le temps, en usant son visage, a finalement usé cette laideur indue. Le temps fait d'autres miracles, et qui parfois sont iniques. La mère de mon ami Justin, Mme Simon Weill, qui fut, en son jeune temps, une très belle personne, est aujourd'hui, malgré toute une vie de noble dévouement et de souffrance courageuse, est, dis-je, une vieille juive informe, d'une laideur décourageante, repoussante, dérisoire, et qu'un étranger ne manquerait pas d'imputer à des vices dégradants, ce qui, je peux l'affirmer, serait erreur.

Quoi qu'il en soit, Eugène Roch, en l'année 1900, était si curieusement laid que, lors de sa première visite chez nous, ma petite sœur Suzanne, alors dans sa huitième année, ouvrit la bouche toute grande et se prit à pleurer. Elle ne dit pas pourquoi; elle ne le savait pas fort bien elle-même. Roch fut sans doute le seul à saisir, douloureusement, la raison de ce chagrin.

Vuillaume travaillait avec nous au laboratoire de M. Dastre. Il nous venait de la philosophie, qu'il avait abandonnée sitôt après l'agrégation. Il a fait, depuis, comme nous tous en vérité, des embardées en médecine. Puis il a tâté des lettres. C'est de lui que parle Nicolle: « Il aurait donné sa vie... » Vuillaume est aujourd'hui professeur au Collège de France. Il accomplit, somme toute, une belle carrière, hantée de hautes ambitions toujours chéries, toujours déçues. Vuillaume était, en 1900, un grand garçon de vingt-sept ans, aux cheveux précocement gris, à la figure délicate. Il avait le bord des paupières avivé par une légère blépharite. Cela donnait à son regard une inquiétante sensibilité: il avait toujours l'air de vouloir pleurer ou sourire.

Chabot ne faisait pas régulièrement partie de notre équipe à la Sorbonne. Il était interne en médecine, mais travaillait souvent chez M. Dastre comme physiologiste amateur. Petit, les traits énergiques et fatigués, la peau fragile et le poil rare, il donnait, dans tous ses propos, la mesure d'un esprit droit, ferme, raisonnable. C'est avec étonnement que je l'ai vu, par la suite, s'enfoncer dans le labyrinthe de la psychiatrie. Il y a, dans la fréquentation des fous, un subtil vertige. Les véritables aliénistes ne sont pas, ne peuvent être des hommes de froide raison. Si Chabot a pris cette route, c'est qu'il y avait sans doute, dans le cristal de cet esprit logicien, quelque mystérieuse faille, quelque déchirure secrète.

De Schleiter et d'Hélène, j'ai déjà beaucoup parlé. Que le goût des portraits ne m'écarte pas trop de mon propos, de ma chronique.

Dans les premiers jours d'octobre, il y eut un dimanche clair, celui qui, si je m'en souviens, suivit la visite de Mme Henningsen. Les canotiers, à ma prière, vinrent goûter chez nous et, tout de suite, prit flamme une grande chamaille politique. Je me la rappelle, entre plusieurs, parce que les événements en ont bien souvent, depuis, du moins à mon égard, avivé le souvenir. Un congrès de la paix avait occupé les esprits, après le congrès socialiste ou peut-être en même temps. Ce congrès de la paix avait été présidé par Charles Richet dont Vuillaume était élève. On y avait vu bien du monde, et même Alexandre Millerand qui, je pense, était ministre et que Schleiter appelait sévèrement « l'hérésiarque »

— Jean de Bloch, disait Vuillaume, démontre, chiffres en mains, que la guerre est impossible.

— Ce n'est pas tout à fait cela, répliqua Chabot. Il affirme seulement que les risques étant immenses et le bénéfice nul, on ne peut pas faire la guerre. Ce n'est pas la même chose. Qu'en pensez-vous, Schleiter?

Schleiter prit cette voix funèbre, solennelle, cette voix « placée », comme diraient les comédiens, et qu'il réservait toujours aux débats politiques.

— L'énormité du risque, prononça-t-il, n'empêchera sûrement pas la société bourgeoise de faire encore la guerre. Et la guerre nous délivrera de la société bourgeoise. Pas d'autre solution. Il n'y aura de paix que dans l'ordre socialiste.

— Pouvez-vous nous expliquer, demanda posément Joseph, ce que vous appelez un bourgeois?

— Vous! répliqua Schleiter. Il ajouta tout aussitôt, non pour atténuer cette parole, mais pour étendre la portée de son verdict:

— Vous, et monsieur votre père, et Chabot, et Vuillaume, et Roch, et Mademoiselle Strohl et quelques autres encore.

— Et, bien entendu, vous-même, ajouta Joseph.

Schleiter haussa les épaules.

— Si ça peut vous faire plaisir et si vous considérez ça comme une chose désagréable. Moi aussi, bien entendu.

— Attendez un peu, dit papa. Vous faites de moi, si je comprends bien, un bourgeois. Ça me fait seulement rire, car je dois vous avouer que je n'ai jamais eu d'argent.

— L'argent ne fait pas grand'chose à l'affaire. La bourgeoisie, c'est dabord un état desprit.

— Bourgeois si vous voulez, je ne dis pas le contraire, poursuivit papa. Savez-vous, Monsieur Schleiter, que nous arrivons seulement? Les gens de mon espèce en sont à leurs débuts. Cest tout juste, après tant d'efforts, si nous sommes en selle, et vous parlez déjà de nous remettre par terre. Laissez-nous souffler un peu.

— Oh! dit froidement Schleiter, ce n'est ni vous ni moi qui choisirons l'heure.

— Père, m'écriai-je avec feu, tu ne peux pas comprendre...

Papa s'animait au débat. Il tira sur ses moustaches.

— Pas comprendre! s'exclama-t-il. Vous me faites rire. A vous entendre, je ne pourrais plus rien comprendre, ni vous, avec vos idées, ni Joseph avec les siennes. Pas comprendre! Ce n'est pourtant pas difficile. Les hommes de mon espèce ont lutté des pieds et des mains pour sortir de la misère et vous venez leur déclarer qu'ils ont eu tort et qu'ils doivent immédiatement redescendre de l'échelle. J'estime ça très maladroit. Vous, Monsieur Schleiter, vous et vos semblables, vous rêvez d'une société dans laquelle l'Etat se chargera de faire le salut de tout le monde. Eh bien! je me demande où sera le mérite. Je trouve beaucoup plus beau de se débrouiller tout seul.

Sentant qu'on l'écoutait, père parut soudain troublé.

— Et je peux même vous assurer que ce n'est fichtrement pas commode.

Schleiter leva l'index.

— Mon propre père, dit-il, était ouvrier tailleur.

— Et vous, s'écria Joseph, vous êtes quelque chose comme docteur en Sorbonne. Alors, de quoi vous plaignez-vous?

— Mais, dis-je, il ne s'agit pas de l'un ou l'autre de nous. Tu ne saisis rien du tout à la pensée de Schleiter.

Jospeh s'était mis debout. Il glissa dans les poches de son pantalon deux poings fermés et pesants.

— Minute! s'écria-t-il. Minute! Tu dis que je ne saisis rien, que papa ne comprend rien, que personne, au bout du compte, ne comprend rien. C'est ce que nous allons voir. Savez-vous ce que c'est que le Romanée-Conti? Savez-vous ce que c'est que la langouste à la mongole? Savez-vous ce que c'est que le caviar noir en grains? Non? Je vais vous l'expliquer. La Romanée-Conti, c'est un vin de Bourgogne fait avec des grains de raisin qui sont choisis un par un, vous comprenez, un par un, comme des bijoux, comme des perles. Et quand l'année est douteuse, le vin n'est même pas vendu. Et quand l'année est excellente, on garde le vin un quart de siècle en le soignant comme un dieu, avant de le mettre sur la table. Et d'un. La langouste à la mongole, c'est une denrée délicate et, pour bien la préparer, il faut que des Chinois crèvent et que des Hindous cuisent et que des Sibériens gèlent et même que des pêcheurs se noient, ce qui fait partie de leur métier. Et de deux! Le caviar noir, en grains, c'est une espèce de hors-d'œuvre qui vaut deux cents francs le kilo, ou quelque chose comme ça. Et de trois! Suivez-moi bien, tous autant que vous êtes. Je dis que vous pouvez changer le monde, le régime, les lois, tout le bazar, il y aura toujours quelqu'un pour boire le Romanée-Conti, toujours quelqu'un pour manger la langouste, toujours quelqu'un pour s'envoyer de belles tartines de caviar.

— Oh! fis-je avec navrement, Joseph, tu es abominable.

— Et toi, poursuivit-il, en tournant autour de la table, toi, tu es ridicule avec tes idées humanitaires. Soyez sûrs de ce que je vous dis : elle veut, la langouste, elle veut être mangée, et de préférence à la mongole. Et le Romanée-Conti, je dis qu'il veut être bu. Alors je me suis bien promis de goûter à ces bonnes choses quand elles passeront à ma portée. Et j'en parle, car je suis franc et je n'aime pas les chichis. Ah! vous crachez sur l'argent. Ah! vous faites la petite bouche. Je peux vous affirmer que l'argent n'a pas tout dit. Un jour, on trouvera le truc pour acheter même le talent. On endormira les gens, on leur fera dans la tête une petite opération et on leur donnera du talent, de l'intelligence, tout ce qu'ils voudront. Et comme il faudra de l'argent pour acheter ça, comme le reste, l'argent aura le dernier mot. Pensez-y, vous, là-bas, vous qui travaillez sur les bêtes avec des aiguilles et des piles, vous le révolutionnaire, ce sera peut-être vous qui découvrirez ce truc-là, car vous travaillez pour nous, sans le vouloir, sans le savoir. Laurent, tu vas étouffer. Bois une tasse, mon garçon.

Il y eut un profond silence et l'on entendit soudain Paula Lescure, assise dans un coin de la pièce, qui s'était mise à rire. Puis, presque en même temps, Hélène battit des mains.

— Qu'est-ce qu'il y a? dit Schleiter. Qu'est-ce qu'il y a, Mademoiselle Strohl? Vous trouvez ça drôle, peut-être?

Hélène répondit crânement :

— Non, je trouve ça très épatant.

Shleiter prit une petite pipe et la bourra pensivement. Il disait, de sa voix sèche, en considérant Joseph :

— Vous avez l'air calculateur et raisonnable. N'importe! vous êtes un possédé. Oui, monsieur l'homme d'affaires. Et même, vous ferez des folies. Vous, vous et vos semblables. Vous ferez d'énormes folies. Et le jour où vous tomberez, avec tous ceux qui vous ressemblent, vous nous entraînerez tous en même temps. Quand je dis nous, je parle des intellectuels, des bourgeois de l'intelligence, des innocents, si vous préférez.

Joseph eut un long éclat de rire et fit encore volte-face.

— Oh! répliqua-t-il à Schleiter, je ne me fais pas beaucoup de bile à votre sujet. Quelque chose me dit que vous saurez vous débrouiller et que vous en tâterez aussi.

— De quoi? demanda Schleiter.

— De la langouste! fit Joseph. De la langouste à la mongole.

CHAPITRE X

REMARQUE SUR L'EMPLOI DES PRONOMS ET ADJECTIFS POSSESSIFS. ÉCOLE D'ÉQUITATION. SENTIMENT DE L'ÉTERNITÉ CHEZ MON PÈRE. CRITIQUE D'UNE SPÉCULATION SUR LES VALEURS IMMOBILIÈRES. EXTINCTION DES SERVITUDES DITES DE PASSAGE. LA RICHESSE, CONSIDÉRÉE COMME UN MÉTIER. REVIVISCENCE D'UNE VIEILLE QUERELLE. MANIFESTATION DES BÊTES SAUVAGES. INTERVENTION DE MAMAN.

Un jour de la fin d'octobre, notre père, en descendant de boguet, vers la tombée de la nuit, m'aperçut à la fenêtre de Cécile : j'entrais souvent chez Cécile et j'y passais de longues heures à m'enivrer de musique. Notre père, aussitôt, me héla :

— Laurent, viens donc m'aider.

Il apportait, dans sa voiture, un paquet volumineux, de forme irrégulière et dont je ne pouvais guère imaginer la substance, tout enveloppée qu'elle était de papiers et de chiffons.

— Qu'est-ce que c'est que ça ? lui dis-je.

Papa sourit, ne répondit pas et se mit à siffloter.

— C'est curieux, repris-je en l'aidant à transporter le ballot dans la remise, on dirait un harnachement. Le nôtre est encore bon.

Je ne me servais guère de la voiture et ne conduisais jamais le cheval. Pourtant, je disais « le nôtre », parce que, depuis l'enfance, mère ne nous apprenait guère les pronoms et les adjectifs que dans cette forme plurielle. Maman fut réellement stupéfaite quand elle découvrit que Joseph disait instinctivement « mon nom, ma maison, mon dîner ».

Notre père haussa les épaules et murmura :

— Ce n'est rien qui t'intéresse. D'ailleurs tu le verras bien.

Je « le vis », quelques jours plus tard. La fenêtre de la mansarde où je couchais béait sur un grand ciel vide. En me tenant debout, je découvrais le jardin que fermait une muraille, puis un grand terrain vague déprimé par une fondrière où l'on venait, de loin, jeter des ordures et des platras, puis des champs cultivés qui s'éloignaient en ondulant, vers la route de Saint-Maur. Je contemplais ce paysage, un matin, en m'habillant, quand j'aperçus tout à coup un spectacle insolite. Vêtu de la redingote qu'il considérait alors comme un attribut de la profession médicale, coiffé du chapeau de soie, haut de forme, qu'il mettait assidûment pour aller voir ses pratiques, mon père venait soudain d'apparaître dans le terrain vague. Il avait, pour ce faire, forcé la porte percluse qui se trouvait dans un angle de la muraille et devant laquelle on poussait d'ordinaire une provision de fagots. Derrière papa, marchait le père Herbelot tirant Cham non pas par la bride, mais par une longue et forte corde qu'il tenait roulée à son bras. Je n'avais pas encore eu le temps d'examiner en détail l'équipement de notre cheval, quand je vis papa lui grimper sur l'échine, ce qu'il fit d'ailleurs avec beaucoup de vivacité. Mon père installé, Herbelot commença de parler à la bête.

— C'est très facile, criait mon père. Mais tâchez donc de vous arranger pour qu'il ne baisse pas la tête comme ça. Je ne vois plus rien devant moi. C'est désagréable.

Le bonhomme Herbelot, il m'en souvint alors, avait fait son temps dans le train des équipages, et il en parlait volontiers. Il semblait enchanté d'avoir à démontrer les rudiments d'un art qu'il était d'ailleurs trop vieux pour pratiquer en personne. Il tenait la longe d'une main et, de l'autre, serrait un fouet dont il caressait l'animal. Celui-ci semblait stupéfait d'être promu soudainement au rang de cheval à toute fin. Il essaya de se cabrer. Mon père ne quitta pas l'arçon. Il riait même de bon cœur. Des paysans qui labouraient les champs voisins s'arrêtaient pour le regarder. Mon père cria :

— On dirait que ces croquants n'ont jamais vu de cavaliers !

Puis il mit pied à terre et poursuivit, la voix claironnante :

— Pas plus de quatre ou cinq leçons, et je sortirai tout seul. Je ferai mes visites à cheval.

Il me parut, les jours suivants, que l'on pouvait attribuer à cette nouvelle lubie l'excellente humeur de mon père. La maison était fort paisible. J'allais chaque jour à Paris où j'avais repris mes études. Le soir, j'écoutais Cécile travailler au clavecin, car elle venait depuis peu de se mettre au clavecin. Mes frères étaient occupés d'affaires dont je ne savais rien. Ma mère s'épuisait à mille besognes obscures. Un soir, j'entendis un bruit étrange, soupir on sanglot, enfin un de ces bruits humains qui me font tout de suite courir un friselis d'inquiétude à la surface de la peau. Cela ne pouvait venir que de chez Paula Lescure. La nuit était fort noire. J'écoutais, bouche bée. Je me rappelais le rire extraordinaire de Paula pendant que Joseph pérorait. Que savions-nous de Paula? Rien vraiment, ou peu de chose. Elle vivait parmi nous comme une étrangère. Elle ne se mêlait jamais à nos entretiens du soir. J'eus le sentiment qu'elle était peut-être malheureuse au milieu de nous. Puis j'imaginai des romans: cette petite sotte de province allait se toquer de Joseph. Elle le regardait, parfois, furtivement, d'un œil noir et mouillé. Alors, ce serait un mariage? Sûrement non, elle était pauvre. Alors quoi? Je divaguais.

Le lendemain, il me parut que notre petite cousine avait les yeux rouges et fatigués, ce qui se pouvait expliquer par ses fringales de lecture. J'en dis deux mots à papa que je rencontrai dans la cour à l'instant de m'en aller. Il rit, l'air insouciant:

— Malheureuse? Elle serait malheureuse? Je me demande pourquoi. Tu te fais des idées, mon cher.

Il siffla nonchalamment son « chico, chico cando », puis il dit:

— Ça passera, ne t'inquiète pas. Des idées de femme, peut-être. Ça passera. Tout passe, tout casse, tout lasse, etc..., comme dit Chose. Il n'y a que moi d'éternel. Car, vraiment, mon cher, il y a des moments où je me sens éternel. Mais oui, mon cher : je regarde le ciel et je sais bien que je le verrai toujours. Impossible autrement.

Il se reprit à siffler, de façon, cette fois, langoureuse et caressante. Il caressait l'éternité, l'œil pâli par la vivacité des rêves.

J'eus tout lieu de supposer qu'il poursuivait gaillardement son école d'équitation et j'avais cessé d'y penser, quand, un soir, en rentrant à la maison, je perçus dès la porte le bruit d'une vive querelle.

— Non, maman ! criait Joseph. Le respect n'a rien à voir ici. Quand papa fait une bêtise, je dis : papa fait une bêtise. Et ce qu'il vient de faire, c'est, malheureusement, une monstrueuse bêtise.

— Allons, dis-je en poussant la porte, qu'est-ce qu'il y a encore ?

Père était debout, le dos au buffet. Nous avions gardé la coutume de nous tenir dans la salle à manger, même entre les repas. Le salon nous semblait un territoire hors du clan, une enclave pour les étrangers, les visiteurs, les malades. Père était donc debout, les pouces dans les entournures de son gilet. Il avait l'air souriant, tout à fait content de soi.

— Tu, tu, tu ! Il n'y a rien, mon ami, souffla-t-il en gonflant les lèvres. Il y a, tout bonnement, un garçon mal élevé qui se permet de me faire des remontrances.

Joseph, les mains aux poches, les épaules hautes, fit un tour complet sur les talons.

— Laurent, dit-il, tu ne connais rien aux affaires sérieuses, mais au moins, tu sais lire et tu comprendras peut-être. Ecoute donc. Ecoutez tous.

— C'est trop fort ! s'écria papa. Je veux m'expliquer

moi-même. C'est vraiment monumental ! Comme je n'ai jamais eu d'argent, enfin, quoi ! rien, des miettes, de la poussière... Comme je n'ai jamais eu d'argent, jamais je n'ai pu faire ce que je voulais, jamais je n'ai pu mener à bien une opération profitable. Aujourd'hui qu'il nous vient un peu d'argent, voilà mes enfants qui m'embêtent. Avouez que c'est révoltant.

— Je ferai remarquer, hasarda Ferdinand, que je n'ai rien dit encore.

— Oui, mais tu n'en penses pas moins.

— Mes enfants, dit mère, laissez votre père s'expliquer.

— Je ne refuse pas de m'expliquer, en déclarant tout d'abord que je ne dois de comptes à personne.

— Comment ! s'exclama Joseph. Tu fais, sur nos petits titres, des emprunts considérables que tu ne rembourseras jamais...

— Tu m'as demandé une garantie.

— Bien sûr, une petite garantie, à défaut d'un remboursement auquel je ne crois guère... Et tu dis d'un ton détaché que tu ne dois de comptes à personne ! Allons, laissons ça de côté. Passons à l'explication.

— Oui, murmura maman, dis-nous bien tout.

— Je n'ai rien à cacher. C'est d'une simplicité parfaite. J'ai fait, dans ma vie, deux ou trois mauvais placements. Non, enfin... il s'agissait, à vrai dire, de placements excellents et qui sont devenus mauvais parce que la politique s'est introduite là-dedans et que les pouvoirs publics se mêlent toujours de ce qui ne les regarde pas. Je me suis juré, par la suite, de ne plus jamais acheter de valeurs. Non, non, plus jamais de papiers.

— Et c'est pourquoi, coupa Joseph, tu as acheté un terrain.

— Naturellement! Un terrain, un très beau terrain. Et ça, c'est une affaire admirable. Le papier, ca s'envole. Un terrain, c'est là! C'est là pour jusqu'à la fin du monde.

— Attends un peu, reprit Joseph. Ne regarde pas si loin. Je pense, maman, que tu sais de quel terrain il s'agit.

— Ton père vient de nous le dire.

— Comme toujours, il en parle quand l'affaire est conclue.

— Bien sûr, s'écria papa. C'était pour vous faire une bonne surprise.

Joseph haussa les épaules et saisit sur la table une petite liasse de papiers. Il l'ouvrit devant maman.

— C'est vrai, l'affaire est conclue. Je viens d'y jeter un coup d'œil. Toi, maman, tu n'as rien vu?

— Oh! moi, je ne savais rien. Ne nous mets pas la mort dans l'âme, Joseph. Un terrain, c'est raisonnable.

— Ces papiers, dit Joseph, moi, je les ai feuilletés. Je viens d'y passer une heure et c'est suffisant. Prix d'achat: dix mille francs. Avec divers frais, mettons onze mille cinq. Ah! tu ne pensais pas aux frais? Ce que c'est que d'être grand seigneur. Onze mille cinq. Eh bien! papa, ton terrain, je ne t'en donne pas deux mille francs. Tu m'entends bien? Pas deux mille.

Papa se prit à rire.

— Ça prouve seulement que tu n'es pas généreux.

— Il ne s'agit pas de moi. Ça prouve que tu t'es fait rouler, et de façon magistrale.

Maman saisit la main de Joseph.

— Que dis-tu? C'est impossible!

— Ecoute, maman. Toi, du moins, tu es raisonnable. Toi, tu aurais mérité d'avoir un petit peu d'argent. Le terrain en question est ce qu'on appelle un fonds enclavé...

— Voyons, fis-je, de quel terrain parlons-nous?

— Tu le sais bien, dit doucement Ferdinand d'une voix presque spirituelle, c'est le terrain où papa monte à cheval tous les matins.

— Certainement, déclara père. C'est le terrain contigu à notre jardin.

— Allons par ordre, reprit Joseph. C'est le terrain contigu à la maison de M. Givry, maison dont nous sommes, dont tu es, toi, docteur Pasquier, l'humble locataire.

— En somme, dit papa, propriétaire ou locataire, je ne vois pas la différence. Tant que j'aurai cette maison, je suis tranquille.

— Tu n'as même pas de bail. La maison peut t'être enlevée dans les six mois.

— Six mois, ce n'est pas si mal. Et je ne vois pas le danger.

— Nous y arrivons, hélas. C'est un terrain enclavé. Bien. As-tu lu toutes les pièces?

— Les pièces, mon garçon! Ce sont des choses qu'on ne lit jamais.

— Vraiment? Moi, je les ai lues. Ce terrain enclavé, les cultivateurs voisins, qui l'emploient comme dépotoir, l'abordent par leur terre; mais il n'y a pas de servitude sur eux.

— Mon garçon, c'est du terrain à bâtir... Et puis,

il n'y a pas d'exemple qu'on ne puisse pas entrer chez soi.

— Laisse-moi parler, papa. Ce terrain jouit en effet d'une servitude ancienne sur le fonds de M. Givry, parfaitement, sur notre jardin, sur ce jardin dont nous sommes les locataires.

— Alors, fit maman, l'œil mi-clos, tout n'est peut-être pas perdu.

Joseph, du plat de la main, donna sur la table un grand coup.

— Le notaire aurait vraiment pu, puisque tu n'y connais rien, se donner la peine de t'expliquer que cette servitude, consentie au moment de la fragmentation d'un domaine, en 1864, n'a jamais été demandée. Comme il y a plus de trente ans, alors, elle est perdue.

— Mon Dieu! murmura maman, mon Dieu, Joseph, tu me fais peur.

— Je dis, répéta, Joseph, que ce terrain, par surcroît, ne vaut rien, qu'il est gâté par une fondrière marécageuse, qu'il est loin des voies carrossables...

— Il jouit, dit papa, d'une vue délicieuse.

— Pff! Laissons la vue tranquille. Je récapitule: le terrain ne vaut rien en soi. Pour comble, il est enclavé. La servitude de passage qui permet de l'exploiter est actuellement éteinte par prescription trentenaire.

— C'est incroyable! s'écria notre père. Comment sais-tu tout cela?

— C'est mon métier, fit Joseph, c'est mon métier de savoir ça. Vous savez tous quelque chose. Est-ce que vous vous imaginez que je ne sais rien, par hasard?

— Enfin, demanda maman, est-il légalement possible de posséder un terrain et de ne pas pouvoir y entrer?

— Non, sans doute. Mais il faudra plaider. Ça coûtera les yeux de la tête : dix fois la valeur du terrain. Et ça durera vingt-cinq ans.

— Mais, objecta mollement papa, puisque cette servitude est prise sur notre jardin.

— Sur un jardin dont tu n'es que le locataire, et même un locataire sans bail, sur un jardin que son propriétaire, M. Givry, ne laissera pas abîmer. Enfin, imagine qu'on t'ait demandé, le mois dernier, un bon quart de ton jardin. Imagine que le terrain ait été acheté non par toi, mais par un autre gogo, par un autre niais.

— Joseph, m'écriai-je alors, Joseph, tu dépasses les bornes.

— Toi, fit Joseph en me regardant bien en face, toi, tu n'as guère le droit de parler.

— Je me demande, hasarda Cécile, très silencieuse jusque-là, je me demande pourquoi Laurent n'aurait pas le droit de parler, dans cette ridicule histoire.

— Nous avons, répondit Joseph, une conversation très sérieuse à laquelle ne doivent pas se mêler ceux qui jettent l'argent dans l'eau.

Maman se prit la tête à deux mains.

— C'est à devenir folle. Qui parle de jeter l'argent dans l'eau ?

— Les imbéciles, répondit Joseph d'une voix énigmatique.

Il y eut un bref silence et l'on entendit papa murmurer d'une voix rêveuse :

— Mais alors, mais alors, ce notaire est une canaille.

— Et le vendeur une crapule, ajouta Ferdinand.

— Ta, ta, ta ! gronda Joseph. Ne lâchez donc pas les

grands mots. Ces hommes-là font leurs affaires. A nous de nous méfier. Canaille! Crapule! Non! Ce sont les autres, en ne se défendant pas, qui provoquent les canailleries. Je ne sais pas si tu as vu qu'il y a, sur ce terrain, une très ancienne hypothèque dont on n'a pas fait la purge. Rien de plus délicat que les prêts hypothécaires.

— Quoi! dit papa, tu connais ça, toi, les prêts hypothécaires?

— Et comment! glapit Ferdinand. Des prêts hypothécaires, mais il me semble qu'il en fait. Vous pourriez le savoir.

Il y eut un instant de silence.

— Je n'en fais pas, reprit Joseph en haussant les épaules. Je n'en fais pas, mais j'en ferai. Dès maintenant, je m'en occupe. Ce n'est pas honteux. Vous n'avez pas besoin d'avoir l'air étonné.

— Mais, pour prêter de l'argent...

— Il est préférable d'en avoir. Bien. Revenons à notre affaire. Il y aurait mille choses à en dire de cette malheureuse affaire. Tu n'a pris de précaution ni pour l'écoulement des eaux, ni pour les canalisations du gaz et de tout le reste, pour rien, enfin, pour rien.

— Oh! fit notre père ébranlé, si c'est comme ça, je plaiderai.

— Et tu y passeras ta vie. On voit bien que vous n'avez jamais rien possédé. Vous croyez que c'est facile de posséder quelque chose! C'est un métier. C'est un métier très difficile et très chanceux. Un métier qu'on n'apprend pas, d'ailleurs, à cinquante-quatre ans.

— Ça, dit papa vexé, c'est une parole inutile.

Maman se tenait les tempes entre ses paumes serrées :

— Attends, Joseph. Explique-moi les choses. Mon Dieu ! c'est épouvantable.

— Ce n'est pas épouvantable, nasilla lentement Ferdinand, c'est seulement, comme toujours, on ne peut plus ridicule.

— Voilà, sifflait mon père, j'ai fait des pieds et des mains pour devenir un gentilhomme, et mes enfants sont des mufles. Je ne parle pas pour toi, Cécile.

— C'est heureux ! m'écriai-je, rouge d'indignation.

— Et même ni pour toi, Laurent.

— En ce cas, pas d'erreur, dit Joseph, lâchant les paperasses. Le compliment est pour nous.

— Avoue, fis-je, que tu l'as mérité. Tu as peut-être raison, dans cette histoire de terrain, mais tu as raison bassement.

— Sois bien sûr, mon cher, que j'aimerais mieux avoir tort.

J'étais lancé, j'étais mordu. Je ne pris même pas en considération cette parole raisonnable.

— Tu as raison bassement. Tu parles de l'argent d'une façon que je dis basse. Tu donne ta vie à l'argent. Je comprendrais peut-être s'il s'agissait de milliards, de chiffres astronomiques. Il y a une poésie de l'énorme. Il y a quelque chose de vertigineux dans les chiffres gigantesques. Mais tu t'immoles, tu t'avilis pour gagner mille francs par mois, peut-être moins, je ne sais pas. Et voilà ce que je trouve absurde.

Joseph avait quitté la table. Il marchait de long

en large, et soufflait comme un tigre. Il se contint quand même et répondit, la voix étranglée :

— Attends ! Attends seulement ! Un jour, je t'épaterai. Tu comprends ? Je t'épaterai. Je te ferai tomber à genoux et peut-être même à plat ventre.

— Je t'affirme, dis-je entre mes dents, que je te pardonnerais tout, si j'étais au moins bien sûr de...

— Sûr de quoi ?

— Sûr de ne pas te ressembler.

Ma mère s'était levée. Elle me saisit à bras le corps. Elle nous regardait tous avec désespoir. Puis elle me lâcha, tendant les mains comme pour nous exorciser, comme pour chasser de nos cœurs tous ces démons ennemis.

— Ah ! dit-elle avec douleur, si vous voulez vous fâcher, attendez que je sois morte.

— Mais non, maman, s'exclama Joseph. Pourquoi veux-tu nous empêcher de nous fâcher ? Vous, entre gens de votre âge, est-ce que vous avez attendu ? Voyez-vous l'oncle Léopold ? Fréquentez-vous encore la tante Anna ? Fâchés ! Vous l'avez toujours été, vous autres de votre famille.

— Tais-toi, Joseph, dit papa. Si votre mère s'est fâchée avec les gens de ma famille, c'est par amour pour vous.

— Possible, gronda Joseph. Quoi qu'il en soit, l'exemple est là. Nous ne connaissons plus personne de tout votre parentage. C'est au Père-Lachaise qu'on prend des nouvelles de la famille. Maman disait, l'an passé : « Céline doit vivre encore, puisqu'elle n'est pas ici. » Est-ce vrai ? N'est-ce pas vrai ?

— Hélas, gémit notre mère, ce n'est pas la même

chose. Qu'y a-t-il de commun entre ces gens et vous, vous mes petits à moi?

— Allons, allons, s'écria Ferdinand, on sait que tu nous aimes bien.

Mère se dressa toute droite et dit, la voix désolée:

— A quoi me sert de vous aimer, si je n'ai pas pu faire que vous vous aimiez entre vous?

Ferdinand était soudain blême, saisi d'une inexplicable colère:

— Non, dit-il, n'en demande pas trop.

Mais Joseph semblait apaisé. Il prit maman par la taille, la fit doucement asseoir. Il riait, la voix ronde, parodiant, sans le savoir, une réplique illustre.

— Bah! Bah! On ne se hait point. Il ne faut rien prendre au tragique.

Je rattrapai Cécile au pied de l'escalier et voulus lui saisir les mains. Elle se déroba sans brusquerie. Dès cette époque, elle saluait de la tête et ne serrait la main de personne, pour mettre à l'abri des gens exaltés ses doigts fluets et magiciens.

— Cécile, fis-je tout bas. J'en ai assez, assez! Tu es ma seule famille. Tu es mon frère, ma sœur, mon père, toute ma vie. Laisse-moi t'accompagner ou je vais crever de tristesse.

Cécile m'emmena dans sa chambre et joua de la musique pendant un long moment. Quand nous redescendîmes pour souper, Joseph et maman discutaient à voix basse en feuilletant les paperasses. Maman avait, comme presque toujours, l'air las et désespéré. Je l'entendais murmurer: « Tu as raison. C'est terrible. On est à la merci de ces gens... » Papa lisait le journal, tranquillement, en caressant ses belles moustaches.

CHAPITRE XI

DIALOGUE SUR PLUSIEURS THÈMES. LE GÉNIE POÉTIQUE ET LES JUIFS. RÉDEMPTION PAR LA SCIENCE ET RÉDEMPTION PAR L'ART. FÉLICITÉ MÉLANCOLIQUE. DÉSESPÉRANCE ALLÈGRE. SOUVENIRS DE LA PREMIÈRE CRISE MÉTAPHYSIQUE. UNE PAROLE CHRÉTIENNE. QUE LES IDÉES SONT DANS L'AIR POUR TOUT LE MONDE. EXTRÊME SUSCEPTIBILITÉ DES FILS D'ISRAËL.

Une après-midi brumeuse, quelques jours après la Toussaint. Clarté funéraire. Il n'y a pas de vent, le ciel est immobile. La Marne coule sans un pli. Justin et moi, nous marchons à pas lents sur la berge solitaire. Parfois une feuille de platane, toute recroquevillée tombe dans l'eau. Elle flotte comme une barquette, tourne deux ou trois fois sur elle-même et dérive, la queue en l'air, saisie par des forces que nous n'avions pas devinées et qui besognent quand même.

Longtemps enseveli dans le silence universel, l'entretien se réveille.

LAURENT. — Il n'a jamais rien lu de toi, Valdemar?

JUSTIN. — Ne cherche donc pas à l'excuser.

LAURENT. — Je n'en ai pas la moindre envie. Comment la chose est-elle partie?

JUSTIN. — Brutalement, comme toujours. Il m'a regardé par côté, de ce regard morne et déteint qu'il a maintenant et qui me fait mal au cœur. Il a dit — pas à moi précisément, mais comme s'il parlait pour les murailles — il a dit: « Les Juifs n'ont pas l'imagination créatrice. Ils ont le génie du trafic; mais ce ne sont pas des artistes. Leurs musiciens sont médiocres, et pourtant ils aiment la musique. Alors, pour le reste, poésie, peinture, sculpture, franchement, ce n'est rien du tout. » Il avançait la lèvre inférieure, d'un air méprisant.

LAURENT. — C'est idiot!

JUSTIN. — Je te crois que c'est idiot. Que lui aurais-tu répondu, puisque tu trouves ça idiot?

LAURENT. — Je lui aurais dit qu'il n'était lui-même qu'un artiste manqué.

JUSTIN. — Bah! Il ne s'agit pas de lui, mais de nous, Laurent, de nous. Eh bien! tu n'aurais rien dit et c'est ça le plus grave. Tu m'aimes bien, moi, Justin. Et tu n'aurais rien trouvé à dire parce que tu es comme les autres, parce que tu n'as pas confiance, au fond, dans notre génie et que tu n'aurais su que dire.

LAURENT. — Tais-toi donc! J'aurais cité Henri Heine et Gustave Kahn.

JUSTIN. — Et après, tu aurais pris un air gêné comme si tu voyais le fond du sac. Moi, je lui ai dit: « Monsieur, les Juifs ont les plus grands poètes de tous les temps et de tous les pays. Tout le monde a lu leurs ouvrages. On les lit partout, à l'heure où je vous parle. On les a traduits dans toutes les langues de la terre. Vous en avez été nourri et vous êtes un ingrat. La Bible, Monsieur, la Bible! Voilà ce qu'ils ont fait, nos poètes. »

LAURENT. — Mon vieux, c'est une riposte épatante.

JUSTIN. — Je te crois, qu'elle est épatante. Il avait l'air assommé.

LAURENT. — Qu'est-ce qu'il a répondu?

JUSTIN. — Il a bredouillé: « La Bible, c'est bien vieux! » Alors, j'ai quand même eu le dernier mot. J'ai déclaré qu'avec ou sans le consentement de Valdemar Henningsen, j'étais, moi, Justin Weill, un poète juif et que j'espérais bien devenir un très grand poète juif.

LAURENT. — C'est-à-dire un très grand poète français.

JUSTIN. — Forcément.

LAURENT. — Pourquoi, forcément?

JUSTIN. — Puisque je ne sais plus l'hébreu.

LAURENT. — Tu l'as donc su?

JUSTIN. — Non, c'est une façon de parler. J'aurais dû dire: « puisque nous ne savons plus... »

LAURENT. — Oui, je comprends.

Un grand moment de silence. Nous allumons nos pipes.

LAURENT. — Je ne peux rien te dire encore de certaines choses que je sais. J'ai pitié de Valdemar. Qu'il soit un artiste stérile et malheureux, c'est déjà terrible. Et ce n'est pas le plus triste.

JUSTIN. — Il n'y a rien de plus triste.

LAURENT. — Si, mais ne me demande pas de t'expliquer... Mon vieux, je t'en parlerai, un jour. Je veux trouver d'abord de moyen d'en parler à Cécile, et je ne sais comment m'y prendre. Non, non, ne m'interroge pas. Tout au moins à ce sujet. Tu n'es pas vexé?

JUSTIN. — Moi, j'ai confiance en toi. Si tu ne me dis rien, c'est que tu ne peux rien dire.

LAURENT. — Un jour, chez nous, là-bas, dans notre ancienne maison, rue Guy-de-la-Brosse, j'avais rencontré Valdemar dans l'escalier. Il faut te dire que j'étais désespéré, oui, dégoûté de tout. Ce qu'on peut être coco, mon vieux, à cet âge-là. Je m'imaginais qu'en devenant savant, en s'instruisant, si tu aimes mieux, un homme devait aussi devenir très bon et très intelligent. Je te dirai, entre parenthèses, que ça m'a duré longtemps, cette maladie-là. C'est Schleiter qui m'a redressé, définitivement redressé. Moins parce qu'il a pu me dire que par sa façon d'être. Enfin, laissons cela. Je reviens à Valdemar. Nous causions, dans l'escalier et je lui disais mes bêtises. Alors, il s'est mis à rire. Il m'a raconté l'histoire d'un citoyen de leurs amis qui était un chimiste de grande valeur, une cervelle magnifique et, à par cela, un parfait salaud. Il criait, Valdemar, en secouant les barreaux de la rampe: « C'est l'art qui sauvera ces cochons d'hommes! »

JUSTIN. — C'est une pensée raisonnable, exprimée vulgairement.

LAURENT. — Non, ce n'est même pas une pensée raisonnable. L'art ne sauvera rien du tout.

JUSTIN. — Prends garde, mon vieux, c'est grave!

LAURENT. — Qu'est-ce que ça veut dire: sauver? Je te le demande. Pense à Valdemar. Il ne vit que pour l'art. Il ne comprend que l'art. Il ne s'intéresse qu'à l'art. Alors, quelle défaite, mon vieux! Il n'est pas méchant, Valdemar. Il est égoïste, il est vaniteux, il est rageur et il ment. Tout ça même ne serait rien: il est malheureux. Est-ce qu'on peut dire qu'un bon homme est sauvé du moment qu'il est malheureux? C'est exactement le contraire. Moi je dis qu'il est damné.

JUSTIN. — Tu prends un mauvais exemple: tu disais toi-même, tout à l'heure, que Valdemar était un artiste manqué.

LAURENT. — Voilà bien le plus terrible: il donnerait tout au monde pour être un grand artiste, et l'art ne veut pas de lui. C'est comme une femme qui ne ferait pas même attention...

JUSTIN. — Va, va, tu peux parler. Ça ne fait rien.

LAURENT. — Pardon, mon vieux. Tu dis: un mauvais exemple. Il n'y a pas de bon exemple. Regarde un peu Wagner. Celui-là, c'est un grand artiste, c'est un Dieu de la musique. Eh bien! il paraît que c'était un très sale type, un caractère impossible. Je parlais de ça, l'autre jour, à Vuillaume, qui vient avec moi, le dimanche, au concert. Il m'a dit, d'un air supérieur: « Qu'est-ce que ça peut bien me foutre. Prenez toujours votre plaisir. Wagner, l'homme, je m'en bats l'œil. Wagner, pour moi, c'est une abstraction créatrice. » Malheureusement, moi, je ne m'en bats pas l'œil.

JUSTIN. — Il y a des exceptions.

LAURENT. — Voilà le plus abominable, c'est que ce sont des ex-cep-tions.

JUSTIN. — Pense à Beethoven.

LAURENT. — Toujours Beethoven. Bien sûr. On dirait qu'il n'y a que lui. Evidemment, si je pensais que Beethoven n'ait été qu'un simple mufle — sois tranquille, je ne le pense pas — je cracherais sur tout ce que j'aime encore au monde. Non, pas sur tout, sur presque tout.

JUSTIN. — Sais-tu que c'est effrayant !

LAURENT. — Le plus extraordinaire, c'est que je devrais être désespéré, après ce que je viens de te dire. Pourtant, c'est tout le contraire. Je n'ai aucune raison d'espoir et je suis plein, mais absolument plein d'espoir. Comment arranges-tu ça ? Il y a des matins où je sors de la maison et l'espoir m'étouffe, m'étrangle, me rend fou. J'ai envie de rire et de chanter, de m'envoler par-dessus le mur. Et je ne crois plus en rien ! Avoue que tout cela est vraiment incohérent. Regarde Vankemmef ! Un catholique pratiquant, convaincu, j'ajoute même irréprochable. Connais-tu rien de plus triste que Vankemmef ? Il croit à l'éternité. Il est sûr de l'éternité. Je le plains, car ce sera une éternité à la Vankemmef, tout à fait saumâtre. Vankemmef a mieux que de l'espoir. Il a une certitude et je dirai même une certitude absolue. Moi qui n'ai aucune certitude, je suis beaucoup plus... joyeux que Vankemmef. Ce doit être une affaire de sécrétions internes.

JUSTIN. — Qu'est-ce que tu dis ?

LAURENT. — Une idée de physiologiste. Ça signifie que c'est peut-être une question organique. Surtout ne t'imagine pas que je me moque de Vankemmef. Non. Je n'envie pas sa foi. Pour lui, Dieu est un vieil oncle, un de ces vieux oncles à qui l'on n'a plus rien à dire. Quand ils sont ensemble tous les deux, Vankemmef et Dieu, ils doivent se mettre à bâiller, puis à lire le journal, puis à se curer les dents. J'aime mieux la solitude que le Dieu de Vankemmef. Je n'envie pas la foi de Vankemmef, ça ne veut pas dire que je n'envie pas une autre foi.

JUSTIN. — Toi, Laurent, tu y retourneras.

LAURENT. — Il n'y a vraiment aucune chance.

JUSTIN. — Oh! je ne te le reprocherais pas.

LAURENT. — Reproche ou non, je répète que c'est tout à fait improbable.

Silence.

LAURENT. — Je ne t'ai jamais raconté comment ça s'est passé pour moi? Bien plus simplement qu'on ne le dit dans les romans, je t'assure. Nous avons reçu, chez nous, ce qu'on peut appeler une bonne éducation religieuse ordinaire. Baptême, catéchisme, première communion. Modèle courant. Avec un autre mari, maman serait peut-être devenue une sainte selon l'Eglise. Mais papa! Tu commences à le connaître. Tout ce qu'on voudra, pourvu qu'on ne l'embête pas. Enfin, je le répète, nous avons reçu, les uns et les autres, de l'instruction religieuse. Rien de fanatique: quelque chose de calme et de réglementaire. Je priais, n'en doute pas. Je priais sans indiscrétion. De petites choses: pour la maison, pour la famille, pour qu'arrive la lettre du notaire, pour que papa réussisse à son examen, pour que maman guérisse ou pour que Cécile donne un beau concert. Ne ris pas. C'est comme ça qu'on apprend aux enfants la pratique de la prière. Tu comprendras qu'à ce régime je ne voyais pas souvent Dieu, je n'avais pas souvent le sentiment de la présence. Et puis, un jour, je l'ai vraiment éprouvé. C'était pendant les années Guy-de-la-Brosse. Pendant l'hiver 95-96, exactement. J'avais eu de terribles démêlés avec mon père à cause de... sa conduite. Je t'ai raconté quelque chose de tout ça. Je vivais dans une grande exaltation nerveuse. A ce moment-là, je priais de façon pressante et même parfois menaçante. Un soir, je suis entré, vers neuf heures, à l'église Saint-Etienne-du-Mont. Il y avait beaucoup de lumière. Il faisait chaud. Cela sentait bon. Un prêtre récitait tout haut je ne sais plus quelles litanies. On entendait la foule répondre avec un bruit de mer calme. Je n'avais encore jamais vu la mer ; mais j'ai compris plus tard que c'était tout à fait ça. J'étais derrière un pilier, tout seul, bien assis sur une chaise. Je me sentais faible, maigre, misérable, désespérément petit. Je tenais dans ma main droite mon poignet gauche et il était si mince que j'avais pitié de moi-même, et pitié de tout le monde. On m'aurait touché l'épaule, poussé du coude ou simplement regardé, je me serais mis à pleurer. J'ai d'ailleurs pleuré un peu. Je ne saurais dire combien cet état d'extase a duré. Car, petit à petit, cela tournait à l'extase, c'était à la limite de la douleur et de la joie. Et un moment est venu où j'ai senti Dieu comme s'il était là. Ce qui me rendait cette évidence plus poignante, c'est que j'avais le sentiment inexplicable d'un adieu, d'une séparation prochaine. J'avais le sentiment que c'était la dernière fois qu'une chose telle se produisait et que jallais quitter pour toujours l'asile tutélaire. Et cette douceur, cette joie, cet amour, ce n'était même pas pour me retenir. C'était comme au moment d'une séparation, quand on s'embrasse très fort et qu'on sait parfaitement bien qu'on ne se verra plus jamais.

JUSTIN. — Et après?

LAURENT. — Après? J'étais comme quelqu'un à qui l'on a fait une opération. Et pourtant, rien de tragique. Je le répète, ça s'est passé très simplement. M. Dastre disait, l'autre jour, en souriant, que la seconde crise métaphysique, celle de la cinquantaine, est de beaucoup la plus terrible. Il a probablement raison. Nous avons le temps de voir ça. La réaction est venue presque un an plus tard. Alors, l'antireligion à outrance, l'anticléricalisme aussi, surtout que l'affaire Dreyfus venait compliquer le tout. Le besoin frénétique de perdre son pucelage de toutes les façons possibles, même au sens exact du mot. Au sens exact, je l'ai perdu... trois fois... N'en parlons plus.

JUSTIN. — Tu ne m'avais jamais rien dit de ça.

LAURENT. — Ah! non! A personne. Et surtout pas à toi, mon vieux.

JUSTIN. — Oui, je comprends. Pas à moi.

LAURENT. — Et maintenant, calme plat, au point de vue métaphysique du moins, comme dirait M. Dastre. Je pense à Dieu comme on penserait à un ami qui serait mort. Parfois, quand je me réveille, car c'est en général au réveil que ces pensées-là me tourmentent, et surtout si j'ai le malheur de dormir dans la journée, parfois je me dis qu'un monde avec Dieu ne serait pas plus absurde que notre monde sans Dieu, que notre monde raisonnable. Je ne peux pas dire que je ne sente pas quelque chose qui serait le besoin d'une éternité, au contraire, mais je le sens avec mon corps, oui, plutôt qu'avec mon esprit. Tant pis! Il faudra quand même tâcher de vivre, le mieux possible.

JUSTIN. — Je te dis que tu y retourneras.

LAURENT. — Et moi, je te dis que non. C'est fini. Je n'ai pas même un véritable regret. Tout cela est triste.

JUSTIN. — Oui, c'est triste.

LAURENT. — Me comprends-tu tout à fait?

JUSTIN. — Peux pas dire. Nous autres, dans ma famille, on ne pratique pas non plus. Mais pour être comme je te vois, athée comme tu l'es, il faudrait des circonstances extraordinaires. Il faudrait que moi, Juif, j'aie fait, par exemple, la folie de me convertir d'abord à votre religion. Il n'y a vraiment aucune chance.

LARTENT. — Ecoute encore. L'autre jour, pendant une discussion, ma mère a dit une parole, une très belle parole. Elle nous a dit: « A quoi me sert de vous aimer, puisque je n'ai pas pu faire que vous vous aimiez les uns les autres. »

JUSTIN. — Oui, c'est une belle parole.

LAURENT. — Je ne crois absolument plus à la divinité du Christ. Mais je crois à la grandeur de certaines idées, et je dis que cette belle parole est une parole chrétienne. Tu me permets de parler de ça.

JUSTIN. — Attends, mon vieux. Attends un peu, Tu dis: « Cette belle parole est une parole chrétienne. » Soit. Et la preuve que tu comprends très bien que tu dis une chose maladroite, c'est que tu me demandes, à moi, Justin Weill, la permission de la dire, cette bêtise.

LAURENT. — Ce n'est pas une bêtise.

JUSTIN. — La bêtise, la bêtise, tu ne comprends donc pas où elle est? Alors, tu t'imagines peut-être que nous autres, Juifs, nous en sommes encore à la loi du Talion. Tu t'imagines peut-être que nous sommes, en morale, des sauvages du désert. Il y aurait de quoi se mettre en colère. Mais les idées marchent pour tout le monde, mon vieux, pour les Juifs comme pour les autres. Comment! tu me connais depuis huit ans, tu connais les miens, tu es notre ami sincère et tu t'imagines peut-être que nous ne sommes pas capables de rendre le bien pour le mal, de dire : « aimez-vous les uns les autres », et de tendre la joue gauche quand nous avons été frappés sur la joue droite, ce qui nous arrive plus souvent qu'à n'importe qui !

LAURENT. — Justin, mon vieux, tu perds la boule.

JUSTIN. — Non, je ne perds pas la boule. Je suis seulement furieux. Et voilà. tu es dreyfusard, tu es, comme on dit, prosémite, loyalement prosémite. Et tu as l'air de penser que nous sommes en retard de vingt siècles. Alors, comment nous aimes-tu ? Comme des bêtes curieuses ?

LAURENT. — Je n'ai rien dit de tout cela.

JUSTIN. — Tu ne l'as pas dit, mais tu le penses. Tu es notre ami, et tu ne comprends rien à nous.

LAURENT. — Si, si. Je comprends très bien que vous êtes follement susceptibles.

Justin sourit.

JUSTIN. — C'est vrai, nous sommes susceptibles. Nous avons sujet de l'être.

LAURENT. — Pas avec un ami. Je suis ton ami.

JUSTIN. — On ne peut être susceptible qu'avec ses amis.

Il faisait nuit. Retour silencieux. Pipes. Justin me prend le bras pour finir la promenade.

CHAPITRE XII

TRISTESSE DE NOVEMBRE. LA COLÈRE CHEZ LES ÉPINOCHES. SCIENCE ET BUREAUCRATIE. CONFIDENCE DÉLICATE, CONFIDENCE INUTILE. ESCRIME VOCALE, OU LE CRÉANCIER BOURRU. GRANDEUR DE CÉCILE. UN HOMMAGE À LA BEAUTÉ. INVOCATION À LA SOLITUDE.

NOVEMBRE rampe dans la pluie. La banlieue, décharnée, montre un squelette rachitique. Les gens qui vont à Paris reviennent de méchante humeur. Ils ont, comme toujours, des histoires à raconter. Ce sont des histoires maussades qui respirent la laine mouillée, les chicanes de tramway, les longues attentes sur les trottoirs parcourus par la rafale. Nous ne sommes pas les rois, mais les esclaves maugréants d'un triste pays pluvieux.

Cécile a voyagé douze jours. Elle a donné des concerts en Belgique, en Hollande et à la cour d'Angleterre. Elle voyage avec une dame qui prépare et règle tout très habilement.

Valdemar a crié qu'il accompagnerait Cécile et, pour finir, il n'a pas quitté Paris. Il vit dans la langueur. A certaines heures, il s'agite, manifeste une grande angoisse et disparaît brusquement. Quand il revient, il sourit, son grand front rasséréné.

Au retour de Cécile, il y a eu des conciliabules. Joseph s'est beaucoup démené. Je suis certain que Cécile a dû lui confier de l'argent. Je ne saurais dire pourquoi cette pensée m'irrite un peu.

Cécile a dormi quatorze heures. Silence. Je me promène dans la maison en lisant la vie de Pasteur, *Histoire d'un savant raconté par un ignorant,* livre qui vient de paraître et dont mon père dit merveilles. Notre malheureux jardin est défiguré par l'automne : on n'ose même plus le regarder. Il y a, sur une commode, un bocal rond, plein d'eau trouble. De petits poissons y nagent. Ce sont des épinoches que Ferdinand a pêchées, un des derniers beaux jours.

Les poissons passent, l'un près de l'autre, comme les promeneurs dans la rue. Ils n'ont pas l'air de se voir et, soudain, deux longs poignards se roidissent à leurs flancs. La nageoire dorsale se dresse, hérissée de dards aigus. Les yeux jaillissent des têtes. Un nuage de couleur vole sur les flancs métalliques. Cette colère muette est affreuse. Elle me fait, je ne sais pourquoi, songer aux continuelles querelles du clan Pasquier, à nos querelles qui, pourtant, ne sont pas silencieuses. Je me sens saisi de honte.

Papa souffre d'une bronchite. Il ne veut pas rester au lit et roule, en pestant, de sa chambre à son officine. Il est vêtu de cette vieille robe de bure qu'il porte par habitude, et sans doute aussi par vénération pour Honoré de Balzac dont il admire le génie. Il tousse, rougit, crache avec fureur, va jusqu'à la fenêtre et regarde la pluie tomber sur la vallée de la Marne. Il s'ennuie fort. Il dit parfois : « Je me suis moqué des bureaucrates, et voilà ! je suis beaucoup moins libre qu'un employé de bureau. Je suis lié comme un chien de garde. » Il n'a pas tort, cet homme subtil. Il a, pendant bien des années, rêvé de la science, de la science libératrice, d'une profession miraculeuse, faite d'imprévu, de nouveauté, d'incessantes découvertes, d'inventions, de coups de vent, de belles bourrasques, et voilà que la nouvelle vie est plus morne qu l'ancienne, réglée comme celle d'un captif. Ainsi donc la science ressemble à la bureaucratie. Quel mécompte !

Hélas ! qu'il s'ennuie donc, mais qu'il reste tranquille ! Qu'il gaspille son peu d'argent, ça n'a pas grande importance, pourvu qu'il se calme enfin, pourvu qu'il ne songe pas à des folies... d'une autre espèce. Il a l'air apaisé, parfois. Il passe des semaines entières sans parler d'une course à Paris. La bronchite même a du bon, si j'ose dire, peut-être parce qu'elle a pour effet de l'humilier un peu.

Cécile s'est réveillée de son long somme, telle une jeune déesse, le visage radieux. Elle a joué du clavecin. La nuit d'hiver est venue. Cécile est nette, calme, belle, oui, belle comme peut l'être Psyché, belle comme la pensée qui plane et ne retombe jamais. Je voudrais que Cécile fût heureuse. Et même si c'était impossible, même si Cécile devait souffrir et gémir dans son abîme, j'ai décidé qu'elle serait heureuse au moins dans le fond de mon cœur. Mon besoin de joie et de pureté s'appelle Cécile. Il faut qu'il en soit ainsi pour le salut du monde. Il faut, pour vivre, s'imaginer que le bonheur et la paix règnent au moins dans une âme.

Ce n'est assurément pas l'heure pour parler à Cécile.

Non certes. Et voilà comme je suis: Impossible de patienter quand une pensée me taraude.

Je vais parler à Cécile.

J'en suis encore à chercher comment engager l'entretien, quand, soudain, Cécile cesse de jouer. Je suis assis derrière elle. Je n'ai pas encore dit un mot, je n'ai pas même soupiré — je ne soupire jamais, par animadversion contre certains soupirs que j'entends trop souvent, autour de moi. — Donc, je n'ai pas même soupiré. Pourtant, Cécile s'arrête. Ses doigts légers retombent dans les plis de sa robe. Elle dit, sans se retourner:

— Qu'est-ce que tu veux, Laurent?

Ce ne semble pas extraordinaire. Entre Cécile et moi, c'est presque toujours ainsi. Même au péril d'orgueil, je dis, songeant à Cécile: « Nous deux, nous ommes vraiment de même sang. »

— Qu'est-ce que tu veux, Laurent?

Comme je suis embarrassé! Cécile était en plein vol, et ce qu'il me faut lui dire est laid, est triste, est vraiment épouvantable.

— Sœur, je songe à ce mariage.

Cécile fait « non » de la tête. Elle ne veut pas me laisser parler.

— Ne me tourmente pas, Laurent.

— Cécile, il faut que tu m'écoutes.

— Non, non, Laurent. Tu ne pourras rien me dire ui me fasse changer d'avis.

— Je suis bien sûr du contraire.

Cécile s'est tournée vers moi. Je ne crains pas de oir soudain fuser son regard Pasquier. Elle ne se met amais en colère avec moi, même quand je suis injuste, même quand je suis ridicule. Elle dit cette parol(étrange :

— Tout ce que tu pourras me dire, Laurent, je le sais

Si je n'étais pas l'obstiné, le maladroit, le balourc que je suis, je baiserais les doigts de Cécile et je rega gnerais ma chambre. Hélas ! je ne suis qu'un pauvr(sot et mon amour, mon jaloux amour fraternel, bien loin de m'inspirer, me retire toute bonne grâce. J(vais foncer comme un buffle.

— Alors, tu sais qu'il est malade ?

— Oui. Raison de plus pour le soigner.

Je veux frapper un grand coup.

— Sais-tu, Cécile, ce que c'est que la morphine ?

Le visage de Cécile n'a presque pas bougé. Ses yeux se dérobent une seconde. Elle dit, la voix sévère :

— Cela aussi, je sais cela.

— Alors, sœur, c'est impossible.

— Eh bien ! je le guérirai.

— C'est une tâche au-dessus de tes forces. La musique y périra.

Cécile a maintenant les lèvres blanches et trem blantes. Elle dit :

— Tout m'est égal.

Je ne comprends plus rien à rien.

— Tu l'aimes donc à ce point ?

Cécile arrête sur moi son large regard de turquoise Elle secoue la tête de droite à gauche et de gauch à droite, avec impatience.

Et voilà que, tout à coup, du fond de la maison monte un grand bruit de querelle. J'entends crier papa j'entends parler maman. Une voix inconnue s'élève une voix rude et triviale. Je quitte Cécile et me jett dans l'escalier. Vraiment, la maison était trop calme! Il y avait vraiment trop longtemps que le drame nous dédaignait! Qu'est-ce que ce peut être encore?

Ils sont dans la salle à manger. Un homme grand, massif, charnu parle, son chapeau sur la tête.

— Je vous ai vendu cette voiture en bon état. Vous prétendez me la rendre après l'avoir démolie. Je vous dis que vous paierez.

— Et moi, monsieur, réplique papa, je dis que votre voiture était inutilisable.

Mon père a commencé par donner toute son haleine. Puis il s'est mis à tousser. Je sens qu'il va faiblir. Le gros homme fait un pas et reprend, criant plus fort:

— Mon argent, monsieur, mon argent!

Papa riposte avec mollesse:

— Je ne vous donnerai pas d'argent. Reprenez votre mécanique. Je n'ai pas d'argent pour vous.

Alors le gros homme se prend à hurler.

— Ah! vous n'avez pas d'argent et vous achetez des voitures! Vous paierez, nom d'un chien.

— Monsieur, crie maman, je vous en supplie!

Alors papa fait une chose que je ne lui ai jamais vu faire et qui me remplit de vergogne: il recule de trois pas. L'homme avance de trois pas. Mon père passe derrière la table. C'est honteux et inquiétant. Le gros homme frappe sur la table. Papa redonne de la voix, mais il n'est pas de taille. Le gros homme émet de véritables rugissements. Paula Lescure ouvre la porte et jette sur cette scène un coup d'œil impassible.

— J'ai des renseignements sur vous. Oui, vous êtes un mauvais payeur. A moi, on ne la fait pas. Je vous mettrai sur la paille.

Le gros homme commence à tourner autour de la table. Papa tourne aussi, pour que la table, toute la table demeure entre lui et l'ennemi. Il est bien évident que mon père, que le personnage terrible, irréductible, vient de rencontrer son maître, c'est-à-dire un homme capable de crier plus fort que lui. Il en a l'air interdit. Maman essaye en vain de se faire entendre. Le gros homme donne sur la table de prodigieux coups de poing. Père me fait pitié, comme un champion vaincu. Je vais intervenir. Comment? hélas! comment?

— Monsieur, permettez-moi de vous faire observer...

Tout soufflant, le gros homme, une seconde, me dévisage.

— Vous êtes deux. C'est bon! Moi, j'en fais dix comme vous.

Maman va crier, crier. C'est alors qu'entre Joseph. Il s'exprime d'une voix terriblement basse et forte:

— Qu'est-ce que c'est que ce boucan?

Le gros homme, aussitôt, cesse de tourner autour de la table. De l'œil, il soupèse Joseph. Et Joseph dit, l'accent courroucé:

— Sortez d'ici tout de suite.

L'effet est instantané. Le gros homme était plus fort que papa. Joseph est visiblement plus fort que le gros homme. Tout le mystère de la puissance et du prestige m'apparaît dans un éclair. Uns simple question de savoir qui peut parler le plus fort. Le gros homme a l'air tout penaud. Il dit, bégayant un peu:

— C'est pour l'argent qu'on me doit.

L'effet de la voix obtenu, Joseph parle maintenant comme il doit parler à son bureau.

— Eh bien! dites ça poliment, ou vous aurez de mes

nouvelles! Venez par ici. Et tirez donc votre chapeau: il y a une dame ici.

Joseph ouvre la porte et l'homme sort en bredouillant. Maman tombe sur une chaise. Je préfère ne pas regarder le visage de papa. Je remonte au premier étage. Cécile est debout derrière la porte de sa chambre. Elle dit:

— Qu'est-ce que c'est?

— Un créancier.

Nous demeurons silencieux. Le temps n'est plus où Cécile jouait majestueusement du piano pendant une visite d'huissier. Une certaine forme de laideur la glace jusqu'à l'âme, je le sens bien. Elle fait deux ou trois pas, revient vers moi, me met un doigt sur la poitrine et souffle:

— Valdemar, un jour, m'a dit que je lui devais mon talent. Il faut payer ses dettes, Laurent, tu m'entends bien.

Je l'entends, hélas! Je l'entends. Je baisse la voix et murmure:

— Pas au prix de ta vie.

— Si, si. Au prix de ma vie. Si je ne le faisais pas, ce serait un mauvais début et je perdrais confiance.

Que répondre? Je ne trouve rien à répondre. Je regarde Cécile avec frayeur, avec admiration. Oui, oui, je payerai mes dettes, comme Cécile. Et que ferai-je encore? Tout le contraire, bien sûr, de ce que l'on fait dans cette malheureuse maison.

Nous restons là, très longtemps. Le gros homme a dû partir. On entend la voix de Joseph, placide, qui débite des chiffres. Après, on n'entend plus rien, sinon la pluie sur le zinc au bord de la fenêtre.

Comme papa doit être humilié! C'est sa première défaite, du moins à ma connaissance. Comme il doit souffrir! Malgré tout, je souffre pour lui. Cécile, par chance, n'a rien vu.

Et, soudain, encore des cris. C'est la voix de Ferdinand. Je m'élance, malgré que j'en aie. Je suis moins fort que Cécile qui s'assied froidement, devant sa table. Je me jette dans l'escalier et j'y rencontre Joseph. La scène est dans le corridor. Ferdinand a perdu son chapeau. Il est là, debout devant Claire qu'il écarte d'une main. Il dit des choses incohérentes: « Tu veux me rendre ridicule. » Et, soudain, j'aperçois notre père. Il rit en lissant ses moustaches. Ferdinand n'a plus la maîtrise de ses gestes. Il avance, la main levée. Il dit: « Je te défends! Tu m'entends! Je te défends. » Nous nous précipitons, Joseph et moi, pour arrêter le bras de Ferdinand. Son lorgnon tombe et se brise. Claire se prend à pleurer. Je demande à Ferdinand: « Enfin, qu'a-t-il fait? » Ferdinand suffoque de rage. Il dit: « Je lui ai défendu d'embrasser Claire comme ça. Non, non, pas comme ça! »

— Tu as peut-être mal vu.

— Non! je ne suis pas si myope.

A l'autre bout du couloir, Joseph morigène papa. Mais papa reprend de la flamme. Il dit: « Moi, je ne suis pas une moule. Un baiser sur les yeux! Eh bien! quoi? C'est un hommage à la beauté. »

Voilà l'homme! Je le croyais humilié, parce que, moi, je l'étais.

Je parviens à calmer Ferdinand. Je suis triste à mourir. Tout est laid. Tout est ridicule. Tout est bas, désespérément. Et je n'ai pas encore vingt ans. J'ai rêvé d'une vie belle et noble. Je languis parmi les querelles, je patauge dans la sottise.

Je voudrais être seul, seul depuis longtemps, seul pour longtemps. Je voudrais marcher tout seul sur une petite route, au milieu des blés, au printemps. Ça viendra peut-être. Patience!

CHAPITRE XIII

LA MAISON DES ÉPINOCHES. TRÊVE PASSAGÈRE. ARITHMÉTIQUE SENTIMENTALE. JOSEPH AU LABORATOIRE. FERDINAND ET LES MYSTÈRES JOSÉPHIENS. UN RAYON DANS LES TÉNÈBRES FERDINANDESQUES. LOISIRS FORCÉS ET PROJETS D'AVENIR. UNE CRÉATURE DU SOLEIL. AINSI PARLAIT ZARATHOUSTRA. EMBARRAS GASTRIQUE. INTERMÈDE CÉLESTE. LES FESTINS DE COMMUNION. INCANTATION DE LA FOUDRE.

L'HIVER soulève sa paupière de malade. Et, tout de suite, elle retombe, et, tout de suite, c'est la nuit.

Nous ne serons plus jamais heureux comme au temps de notre enfance. Nous savons trop de choses, nous sommes empoisonnés. Si je n'avais pas Cécile, je m'en irais, oui, je m'en irais d'eux tous. Non de maman, bien sûr, et non plus de l'innocente petite fille. D'ailleurs, je m'en irai quand même. Il y a des jours où je me sens tourmenté par le désir de posséder mon âme à moi tout seul, d'être délivré, d'être pur. Oui, délivré, même d'amour.

Je regarde les épinoches tourner dans leur prison de verre. Il paraît que ces bestioles construisent des nids admirables. Pourquoi? Pour mieux sortir leur poignard et les grandes épines de leur dos? Parfois, songeant à notre maison, je dis tout bas: la maison des épinoches.

Les petits poissons nagent dans une eau laiteuse et trop peu souvent renouvelée. Nous autres, pour l'instant, nous nageons dans le sirop noir de la paix. Oui, telle est, en ce moment, notre paix.

Semblable au navigateur qui traverse un champ de mines, je me dis: « Tout à l'heure nous allons toucher... Nous serons jetés en l'air, écartelés, dispersés. Notre famille éclatera. »

Je vais à Paris presque chaque matin. J'ai toujours moi-même ordonné mon travail. Et qui, vraiment, ici, pourrait m'être conseil? Je me trouve seul, au milieu du clan. Quand je passe des examens, personne ici n'est en peine; mes succès, aux yeux de tous, sont la chose la plus naturelle du monde. Amertume de bon élève. Quand, après je ne sais quel petit concours, Ferdinand est entré dans son administration, mère a fait un dîner. Pour un peu, ç'auraient été les drapeaux et les lampions. L'arithmétique familiale, chez nous, du moins, est simple: il suffit de multiplier la portion naturelle de chacun par assez d'amour maternel pour qu'en définitive « ils reçoivent tout autant l'un que l'autre. »

Je ne suis pas très fier des pensées que je pense. Il me faudra beaucoup de temps pour comprendre que l'injustice est encore à mon profit, dans ce malheureux partage.

La pluie est maîtresse du monde. Nous sommes au mois de décembre. Le siècle s'achève dans une moisissure glacée. La Marne est grosse et déserte. Les canotiers ont perdu le chemin de la maison. Parfois je vais au concert, avec Roch et Vuillaume. Nous attendons une couple d'heures sur le bitume de l'avenue Victoria. Ensuite c'est l'orgie. Je suis en ce temps de la vie où quelque chose de trouble se mêle amèrement à toutes joies, même aux plus nobles. J'aime la musique, en cet hiver, comme il me semble que certains hommes doivent aimer le vin. La musique n'est plus une fin, mais un moyen. Un moyen pour quelle fin? Je ne sais trop. L'oubli, peut-être. Tout cela n'est pas très beau.

Parfois, du haut du cintre où nous dormons notre plaisir, j'aperçois, dans une loge, là-bas près des musiciens, j'aperçois ma sœur Cécile. Elle est chez elle, dans ce temple. Des fidèles viennent lui rendre hommage. Nous nous retrouverons, ce soir, à la maison, sans doute. Nous aurons l'air de nous retrouver. Cécile est déjà partie. Elle vogue, toutes voiles déployées.

Je rêve à ces choses, au laboratoire, cependant que je m'assoupis dans ces fades petites besognes qui sont mon pain quotidien. Une découverte! Est-ce possible que ce ne soit pas un rayon qui tombe, un éclair que fend la nuit?

Chose extraordinaire, Joseph est venu, plusieurs fois, me voir au laboratoire. Il arrive, salue tout le monde et cherche une place pour son chapeau melon qu'il traite avec ménagements, comme un attribut sacré de la personne joséphienne. Puis il nous regarde les uns et les autres avec un sourire sceptique, un sourire qui voudrait bien paraître courtois sans être dupe. Il échange quelques paroles aigres-douces avec Schleiter, dit un mot à Hélène, feint de s'intéresser à mes recherches. Il est poli, somme toute. Au demeurant, terriblement Joseph. Que Vuillaume s'offre à lui débarrasser un siège, il tranche: « Inutile. Merci. Je n'accepte aucun service. » — « Pourquoi? » fait uniment Vuillaume. — « Non, croyez-moi, les services, un jour ou l'autre, ça se paye, et plus cher que ça ne vaut. Non, pas de services: des marchés. » Il parle ainsi, le monstre, et le plus grave, c'est que c'est faux, car il a une manière bien à lui pour demander et obtenir toutes sortes de menus services et, surtout, pour faire glisser une grande part de ses obligations sur les épaules des autres.

Joseph est un cracheur d'apophtegmes. A Schleiter qui lui demande, par dérision: « Et l'argent? » il répond, les dents au clair: « L'argent, l'argent, c'est un truc. Oui, c'est un truc à trouver. Après, ça va tout seul. »

Je ne suis pas bien sûr que, le truc, il l'ait déjà trouvé. Je ne sais rien de ses affaires; du moins, rien directement. C'est Ferdinand, à qui, pourtant je ne souffle pas mot de la famille, c'est Ferdinand qui se charge de me tenir au courant de Joseph. Ferdinand est très myope, sauf en ce qui touche notre frère Joseph. Ferdinand, pour Joseph, a beaucoup mieux que de la clairvoyance. Disons de la divination. Quand je suis avec Ferdinand, nous n'avons guère qu'un sujet d'entretien intime, et c'est Joseph. Il me faut reconnaître qu'au prix de Ferdinand, je suis aveugle et sourd. Pour aborder ce grand sujet, Ferdinand prend une voix spéciale, sa voix « joséphienne », qui est confidentielle, nasillante, colorée d'un rien de moquerie et de quelque révérence. Il dit: « Tu sais que son employé — car Joseph dispose d'un employé — lui coûte cent soixante-quinze francs par mois. Seulement Joseph lui retient quatre francs vingt-cinq pour la retraite! Je trouve ça monumental... Joseph a gagné mille six cent cinquante francs pendant le mois de novembre... Joseph s'est mis dans les frais, pour son bureau: des chaises art nouveau. Oui, moi, j'aime mieux l'ancien... Chez moi, je n'aurai que de l'ancien... » Ferdinand rêve et reprend: « Je ne m'y connais peut-être pas encore comme les vrais marchands de meubles d'époque; mais j'ai du goût. Claire et moi, nous avons du goût. On ne peut pas nous retirer ça... » Puis il retourne à Joseph: « Tu sais, le prêt hypothécaire comme voudrait le faire Joseph, ce serait excellent: on a une garantie et on touche un gros intérêt. Seulement, Joseph n'a encore qu'un tout petit capital. Alors il bricole; il arrange des prêts pour les autres. Sais-tu combien il a? Non? Eh bien! moi je le sais... »

Ce que je sais, ce que je vois quand même, et fort bien, c'est que Joseph a l'air d'une bête robuste qui chasse. Non, certes, il n'a pas encore trouvé « le truc ». Parfois, il semble inquiet, il grogne, il gronde, il renifle. On dirait qu'il cherche une issue. Ferdinand commente, dans l'ombre: « Il a été sur le point de trouver un associé du genre qui lui conviendrait. Le type a eu le nez creux. il s'est débiné. »

Joseph est sombre et silencieux. Parfois, en famille, il s'abandonne à quelque petit mouvement oratoire, orné de ses mots favoris: « Il n'y a pas de contrôle... Ça ne se soutient pas... Allons par ordre... Premièrement... Deuxièmement... » Tout de suite, il retombe à ses tracas. Ferdinand, aussitôt, se saisit du crachoir. Si Ferdinand, seul avec moi, ne sait parler que de

Joseph, en famille il est inépuisable, encyclopédique : il commente le journal. Il a longtemps péroré sur l'Exposition universelle en virtuose du renseignement. Maintenant, c'est le Transvaal, c'est le président Krüger, de qui Ferdinand connaît toutes les démarches, toutes les pensées.

En ce qui touche Claire, sa fiancée, Ferdinand est inabordable. Parlez de Claire avec ferveur, et Ferdinand est jaloux. Critiquez tant soit peu Claire, et Ferdinand sera furieux. Ne dites rien de Claire, et vous verrez un Ferdinand vexé qui ne souffre pas l'indifférence à la vue d'une question telle.

Je ne déteste pas la petite Claire et ne la détesterai jamais, encore que Ferdinand fasse le possible et l'impossible pour me la rendre odieuse.

Ferdinand ne laisse à personne et même pas à Claire le soin d'expliquer Claire. C'est son devoir, à lui, Ferdinand. Il dit : « Tu sais que Claire ne mange pas de salsifis... Claire ne peut pas souffrir la graisse, à cause de son foie... Claire est extravagante : elle prend la salade sans assaisonnement... Claire n'emploie jamais le savon pour se laver la figure... » Là-dessus, Ferdinand regarde l'assemblée d'un air en même temps intrépide et soupçonneux. Il répète, la voix jubilante : « Non, jamais de savon sur la figure. C'est un principe. »

Ferdinand est irritable. Il entend chanter dans les rues une chansonnette à la mode :

> Sois gentille avec Ferdinand,
> Et ce soir, ce soir en rentrant...

Ferdinand exècre cette chanson et n'est pas loin d'imaginer que Paris tout entier a fomenté quelque complot. Il souffre de rages en cyclone qui le laissent hébété. Père, quand il est de loisir et qu'il se trouve d'humeur à faire une démonstration, père « exécute une colère » pour expliquer à Ferdinand que la colère est inconvenante et détestable.

Sa bronchite en sommeil, notre père a repris flamme. Il invective contre la pluie et parle de s'en aller en Afrique équatoriale, aux Indes, aux Philippines. Il dit : « Je me suis trompé, voilà tout. J'étais fait pour devenir explorateur. Je finirai dans la peau d'un explorateur. » Le lendemain, changement de thème. Une lecture aventureuse a fait ce beau miracle : il sera marin. Mère a des battements de cœur. Il dit : « On peut gagner des fortunes... » Il nous explique, avec une abondance folle de détails et d'exemples, comment se gagnent les fortunes. Il dit : « Mon cher, c'est tout simple ». Tout est simple, pour ce rêveur. Que passe encore un jour et le soleil se lève ailleurs. « Je suis allé donner une consultation chez Domange, au bout de Sucy, celui qui fait le plant de choux, exclusivement. Ça n'a pas l'air très malin. Eh bien ! il gagne ce qu'il veut. Il a deux chevaux, deux voitures. Une situation à tout casser... » Et le nouveau docteur déclare : « Je vais flanquer tout en l'air et m'installer maraîcher. Je respecte la science, mais je ne veux pas m'ennuyer. »

Il retourne à la vitre et contemple encore la pluie Quelques instants plus tard, il murmure, la voix sucrée mélodieuse : « Si jamais je suis nommé président de la République... » Il ne poursuit pas au conditionnel, mais au futur. Ferdinand souffle, du nez : « Tu ne fais pas de politique. » Alors, papa : « Quelle importance ? On peut très bien me nommer président de la République sans que je fasse de la politique. » Et le voilà président de la République. Il en parle, une heure durant. Puis il va dans son cabinet, débrider les furoncles d'un patient. Il revient content de soi. « C'est le plus noble des métiers! Mais je ne suis pas fait pour attendre. Je n'aime pas les accouchements. Je suis un homme d'action. Je suis le contraire d'une limace. Je suis un homme capable de passions vives... »

Il épluche les petites annonces. Il écrit toutes sortes de lettres. Et maman n'est pas tranquille. Un jour il a laissé traîner sur la table du salon ses nouvelles cartes de visites: Docteur Raymond du Pasquier. Il correspond longuement avec une maison qui porte, sur ses enveloppes, l'inscription: *Institut national des recherches héraldiques*. Je l'entends qui dit à maman: « Nous sommes peut-être nobles. Mais oui, sans le savoir. Il vaut mieux se renseigner. Ça ne coûte que deux cents francs. Avoue que c'est pour rien. » Ma mère est épouvantée: l'argent est rare. Elle fait des comptes et, par allusion aux valeurs héritées de sa tante Delahaie, elle murmure: « Si je mourais... » Papa sursaute: « Mourir! quelle idée! Est-ce qu'ont meurt? » Puis il songe à l'argent et pousse de longs soupirs ondulatoires, mélodieux et désolés. Je les ai toujours appelés « les soupirs de l'argent ». On les entend d'ordinaire quand les difficultés majeures sont en vue.

Il dit à Ferdinand:

— Ton frère fricote dans les prêts hypothécaires. C'est un métier odieux.

— C'est à lui qu'il faut dire cela.

— Mais, reprend père, il a donc de l'argent?

— Probable qu'il en a un peu.

— Alors, pourquoi m'en a-t-il demandé?

— Je ne sais pas. Ça le regarde.

— S'il a de l'argent, il devrait bien m'en prêter. Oui, pourquoi pas! Un prêt hypothécaire, s'il le veut.

— Sur quoi?

— Sur la maison.

— Elle n'est pas à toi.

— Ah! Alors sur le terrain.

— Il paraît qu'il ne vaut rien.

— Ce n'est pas encore prouvé. Alors, sur le cheval, sur la voiture, sur mes livres. Qu'il me prête dix mille francs et j'irai m'installer en Algérie. Du soleil! du soleil! de la lumière! comme disait je ne sais plus qui. Je suis une créature du soleil. Je me demande ce que je fais ici.

Il arrive un jour en tenant sous son bras un paquet dont s'échappe une odeur inquiétante.

— Qu'est-ce que c'est que ça?

— Un blaireau.

— Vivant?

— Non, mort. Je l'ai acheté pour une bouchée de pain, au père Herbelot.

— Qu'est-ce que tu veux en faire? demanda Joseph, le soir.

— Des blaireaux pour ma barbe.

— Ah! oui! Il y a de quoi en faire dix. Et un blaireau, ça dure dix ans.

— Mon petit, je les userai. Bien sûr, à la condition de foutre le camp d'ici. Je m'ennuie! Je m'ennuie!

Je l'ai surpris, un jour, grimpé sur une échelle, en train de pendre un cadre.

— La corde s'est cassée, dit-il. A rester toujours en place, on ne sait plus rien de ses affaires. Autrefois,

quand je déménageais souvent, je surveillais les cordes
et ces choses-là n'arrivaient pas.

— Mais, papa, nous ne sommes ici que depuis seize
ou dix-huit mois.

— Tu es fou, mon garçon! Seize ou dix-huit mois!
Tu veux dire seize ou dix-huit ans. J'en aurais des
cheveux blancs, si j'étais un homme vulgaire.

Il se prend à siffler, pour montrer au monde entier
qu'il n'est pas un homme vulgaire.

Quand je suis exaspéré, je me noie dans mes lectures.
J'ai découvert Ibsen, Nietzsche et Tolstoï. Je sombre,
t j'oublie tout, pendant une heure. J'ai grand besoin
d'oublier tout. Je lis: « Je suis un voyageur et un
grimpeur de montagnes. Je n'aime pas les plaines et
l me semble que je ne puis pas rester tranquille long-
emps. » Tiens, tiens! Pourtant père n'a pas lu
Nietzsche.

Je suis descendu jusqu'à la cuisine pour y prendre
e ne sais plus quoi. J'aperçois Paula Lescure. Elle
me tourne le dos. Elle est penchée sur l'évier. Mon
Dieu! Elle vomit avec de très grands efforts. Comme
lle a l'air de souffrir!

J'approche et dis doucement:

— Qu'est-ce que vous avez, Paula? Voulez-vous que
'appelle maman?

Elle a les yeux cerclés de mauve. Les lèvres gonflées,
avelées. Elle me fait grand peine. Elle répond:

— Mon cousin sait pourtant que j'ai mal à l'estomac.
Inutile de prévenir personne. Non, absolument per-
onne.

Il est bien évident que la pauvre fille est malade.
e remonte dans ma chambre et replonge dans mes

lectures. De temps en temps, quand tout le monde est là, je perçois une ébauche de querelle. Maman dit: « On vous a instruits et c'est comme si l'on vous avait instruits à vous disputer, hélas! à vous détester. » Elle fait des prouesses diplomatiques pour rétablir, un instant, d'impossibles équilibres.

Et, tout à coup, éclate un intermède céleste. Cécile nous a réunis, dans sa chambre, un soir. La petite Suzanne se tient debout, devant le clavecin. Elle chante, d'une voix fragile, la pastorale de Haydn: « Enfant, sois belle en tes atours et prompte au fin sourire... » Cécile est là, derrière la petite fille, et dessine dans le silence une dentelle délicate avec ses doigts magiciens. Cécile avait préparé cela, sans nous en rien dire. C'est un moment si pur que les « bêtes sauvages » elles-mêmes rentrent leurs griffes et rampent en ronronnant. Toute la soirée, la maison sera bénie. Mais quoi! cette grâce impalpable pourrait-elle sauver le monde?

De quoi puis-je me plaindre, puisque j'ai Cécile? Hélas! Je ne suis pas digne de Cécile tous les jours.

Car les repas sont terribles.

Ce pourrait être la cène, le festin de communion. Ils sont tous là, ceux du clan. Ce n'est pas le festin de communion.

Ferdinand a, toute l'année, de terribles rhumes de cerveau. Il fait, avec son nez, surtout quand il mange et qu'il a la bouche occupée, des bruits extraordinaires par l'invention et la variété. Je comprends que, bientôt, Joseph, incommodé, ne pourra plus celer son agacement. Et c'est Ferdinand lui-même qui, soudain, s'écrie, d'une voix mordante: « Joseph! Mouche-toi, mon cher. On ne s'entend plus manger, tu fais vraiment trop de bruit. »

Joseph, avec la pointe de son ongle auriculaire, s'arrache d'entre les dents des fils de nourriture. Il les regarde et les mange. Cette pratique a le pouvoir d'exaspérer notre père. Il finit par faire, à ce sujet, une déclaration générale, mais ferme : « C'est à peine convenable. Je vous achèterai des cure-dents. »

— Que veux-tu ? souffle Joseph avec perfidie, moi je sens mes dents : elles sont à moi.

Il y en a un qui ramasse les miettes avec une lichette de pain, et qui finit, enhardi, par chasser sur les territoires limitrophes. Un autre ouvre la bouche dix bonnes secondes trop tôt et montre sa langue toute chargée de nourriture. Un autre coupe son pain, comme un păysan, en petits cubes réguliers qu'il dispose à sa gauche. Un autre fait « fioup... fioup... » à chaque lampée de potage. Si l'un dit : « Donne-moi de l'eau », il y a toujours une voix qui répète ou qui traduit : « Ton frère a demandé de l'eau. Vous comprenez ! Il veut de l'eau. » On entend, presque ausitôt : « Ne te balance pas, tu me donnes mal au cœur », ou « Ne racle pas le parquet avec tes pieds. Ce n'est pas tolérable. » « Ne bois pas plus d'un demi-verre, ça fait mal à l'estomac. » — « Qu'est-ce que ça peut bien te faire ? Je bois comme il me plaît. » — « Je n'aime pas la tête de veau. C'est mou. Ça me dégoûte. » — « N'en dégoûte pas les autres. »

Alors commence la discussion quotidienne au sujet du chien qui devient sourd, de la chatte qui est voleuse, au sujet de la cuisine au gaz, de la politique socialiste, de la composition du celluloïde ou du pégamoïde.

Ils mettent leurs coudes sur la table. Ils parlent en mangeant et veulent qu'on les comprenne. Ils n'aiment pas les choses que j'aime. Ils aiment les choses que je n'aime pas. Et pourtant, ce sont mes frères, ce sont les miens, ceux de mon clan. Et, malgré tout, je les aime.

Alors! Alors! Que la foudre tombe, Seigneur!

CHAPITRE XIV

DIVERS SYSTÈMES DE CHAUFFAGE. UNE SINGULIÈRE PARTIE DE CARTES. CARACTÈRE ALARMANT DE LA CONCORDE. DOULEUR DE CÉCILE. PRINCIPES ESSENTIELS D'UN JEU NOUVEAU. PLAN DE CAMPAGNE. DEUX BILLETS DE CINQ CENTS FRANCS. JOSEPH SAIT CE QU'IL VEUT.

IL ne faut pas appeler la foudre.

Nous avancions lentement à travers le mois de décembre comme sur une mer de bitume. Un soir, après dîner, j'étais dans la chambre de Cécile et je regardais le feu.

Il faisait, au dehors un froid humide et hargneux. Chez nous, un gros poêle à feu continu brûlait toujours dans la salle à manger. En outre, par de tels temps, chacun se débrouillait dans sa chambre. Nos parents allumaient une grille de coke, à cause des bronchites de papa. Cécile avait un feu de bois. Elle vivait en serre chaude et c'était un lieu bien étrange que cette chambre où s'entassaient deux lits, un petit bureau, un piano à queue et un clavecin. Mes frères jouisaient d'un poêle à pétrole qu'ils se passaient d'une chambre à l'autre, non sans calculs grondeurs : « Garde-le jusqu'à vingt-cinq. Après, tu me le rendras jusqu'à moins le quart. Mettons nos montres d'accord... » Pour moi, je n'avais aucun moyen de chauffer ma mansarde. Ma mère me glissait chaque soir un cruchon dans mon lit et, s'il faisait trop froid, j'allais rêvasser ou même lire chez Cécile.

Ce soir-là, j'étais donc chez Cécile qui travaillait au clavecin. Je l'écoutais peut-être avec mes oreilles, et bien plutôt avec mon cœur en regardant mourir le feu.

Joseph ouvrit la porte et dit :

— Venez tous les deux chez moi.

— Pourquoi ? demanda Cécile.

Joseph répondit gravement.

— Pour faire une partie de cartes.

J'ai toujours eu l'horreur des cartes. Pour Cécile, elle n'a jamais connu d'autres jeux que ceux de l'art. Nous eûmes aussitôt le sentiment que Joseph ne plaisantait pas.

— Que veux-tu ? répéta Cécile.

Joseph jeta dans le couloir un coup d'œil furtif, se retourna vers nous, ferma la paupière gauche avec énergie et dit en pesant sur chaque syllabe :

— Très im-por-tant.

— C'est bien. Nous y allons.

Cécile prit un grand châle de cachemire dont elle s'enveloppait toujours pour sortir de son étuve, et nous gagnâmes la chambre de Joseph. Il y avait, en effet, une table toute préparée, une lampe et quatre chaises. Ferdinand nous attendait. Le poêle à pétrole donnait, dans un angle, une molle pédale d'orgue.

Cécile dit :

— Mi bémol. C'est *l'Or du Rhin.*

Elle sourit sans conviction et frissonna légèrement.

— Voilà, commença Joseph, de sa voix naturelle qui faisait gronder toute la maison, je vais vous apprendre un nouveau jeu qui vient d'Angleterre et qui sera le jeu de tous les gens distingués.

Là-dessus, il ferma la porte et poursuivit tout bas :

— Maman est encore à la cuisine. Dans deux minutes peut-être, elle va monter, avec papa qui fait je ne sais quoi, par là, du côté de ses petites bouteilles. Alors, s'ils ouvrent la porte, nous jouons aux cartes. C'est très grave.

— L'endroit, fis-je, n'est pas très bon, si c'est vraiment... un secret.

— Que veux-tu ? Nous n'avons pas le choix. Ainsi donc, nous jouons aux cartes. Ferdinand, c'est toi qui donnes. Tu distribues les cinquante-deux cartes une par une. Non, pas comme ça. Dans l'autre sens.

Il baissa tout aussitôt la voix :

— Ecoutez-moi bien tous trois. Paula Lescure est enceinte.

Il y eut un instant de silence. On entendit le pas de maman dans l'escalier. Elle parlait à papa, disant : « Toutes les portes sont fermées ? Même celle de la rue ? »

— Comment le sais-tu ? demanda Ferdinand.

— Je le sais, voilà le fait. Paula Lescure est enceinte de plus de quatre mois.

— Ça, dit Ferdinand, je m'en doutais.

— Non, tu ne t'en doutais pas. Ne fais pas le malin. Personne ici ne s'en doutait, sauf moi.

— Joseph, lançai-je soudain, est-il bien nécessaire de parler de ça devant Cécile ?

Cécile me prit par le bras :

— Laurent, tu es ridicule.

— Oui, plutôt, affirma Ferdinand.

Soudain, Joseph reprit, de sa grosse voix naturelle :

— Quand toutes les cartes sont données, vous rangez chacun votre jeu, par couleurs et par valeurs.

La porte venait de s'ouvrir. Mère nous regardait avec étonnement.

— Que faites-vous là, tous les quatre ?

— Je leur apprends un jeu nouveau qui vient d'Angleterre. Quelque chose d'épatant.

— Regarde, Ram, dit ma mère : les voilà qui jouent aux cartes. Il paraît que c'est un jeu nouveau. Pourquoi ne pas t'asseoir près d'eux, cela te distrairait un peu.

— Non, non, s'écria Joseph. Papa n'aime pas les cartes. En outre, il faut un silence complet. C'est un jeu de réflexion.

— Amusez-vous, mes enfants, dit notre père en haussant les épaules.

Une seconde encore, maman nous regarda tous quatre. Elle avait l'air incrédule, presque alarmé. Elle hocha la tête et soupira :

— C'est si rare qu'ils trouvent quelque chose pour s'amuser tous ensemble. Je vais coucher Suzanne.

— Tire la porte, dit Joseph. Que notre peu de chaleur nous reste.

Quelques instants, on entendit mère aller et venir dans la chambre voisine. Joseph disait :

— D'après la force de votre jeu, d'après le nombre et la qualité des cartes, vous faites votre plan de bataille. Il est bien entendu que nous sommes deux par deux : je joue avec Ferdinand, et Laurent avec

Cécile. Alors c'est à moi de parler. Attendez que je réfléchisse.

Il poursuivit, plus bas, comme nous entendions s'éloigner le pas maternel :

— Encore quelques semaines et ça va se voir. Ça se voit déjà, malgré tout ce qu'elle peut faire.

— Eh bien ! dit brusquement Cécile, ça me la rend plus sympathique.

— C'est une affaire de sentiment et nous ne pouvons pas faire de sentiment ici. Ce qu'il faut, c'est prendre une décision, et la prendre tout de suite.

— Quoi ! s'écria Cécile en blêmissant, vous n'allez pas la chasser. Même pour une servante, ce serait abominable. Et c'est notre petite parente, notre cousine. Non, je ne veux pas, je ne veux pas.

Joseph posa son jeu sur la table et le posa retourné, comme si la partie de cartes eût été une partie sérieuse. Puis, les lèvres serrées :

— Et toi, Laurent, qu'est-ce que tu dis ?

Je répondis, baissant la tête :

— Rien.

— Tu ne dis rien ! Tu ne dis rien ! fit douloureusement Cécile. Et moi je veux que Paula reste. Il y aura un petit enfant dans la maison, et ce ne sera pas malheureux. Elle n'est pas trop gaie, la maison.

— Chut ! dit Ferdinand, on va t'entendre.

Cécile nous regardait avec des yeux chargés d'angoisse.

— Eh bien ! Qu'est-ce que vous avez tous ?

— Comprends bien, Laurent, reprit Joseph, si j'ai jugé bon de vous mettre tous au courant, même Cécile, oui, même Cécile, c'est qu'il est absolument nécessaire que notre accord soit complet. Pas de fausses manœu vres, pas de questions maladroites, pas d'étonnements intempestifs. Nous devons, tous les quatre, ne faire qu'un seul bloc.

— Mais qu'est-ce qu'il y a donc de si terrible? dit encore Cécile d'une voix morte.

Joseph avança la tête et nous l'imitâmes, en sorte que nos cheveux se touchaient au-dessus de la table.

— Cécile, murmura-t-, sois raisonnable une minute Je peux t'affirmer que l'auteur de... enfin de la situation est une personne de la maison. Tu devrais me com prendre à demi-mot. Ce n'est sûrement pas moi, Cécile

— Ni moi non plus, ajouta Ferdinand. Moi je suis fiancé!

— Oui, nous savons. Tu devines bien que ce n'est par Laurent. Comprends-tu, ma pauvre Cécile? Com prends-tu?

Cécile ne répondit pas et, soudain, deux larmes rondes lui sautèrent des yeux et tombèrent sur la table

— Je l'avoue, murmurait Joseph, c'est assez épou vantable. Laurent, lui, est payé pour savoir à quoi s'en tenir. Pour toi, c'est à peu près du nouveau.

— Vraiment, dit Ferdinand, je suis bien sûr que ça se voit. Je commençais d'ailleurs à le remarquer. Mais comment as-tu, Joseph, eu la certitude, car en somme...

Joseph secoua les épaules.

— Elle me l'a dit, mon garçon. Je le lui ai fait dire. Voilà. Vous savez pourtant bien que moi, je vois tout, je sais tout. Ne t'inquiète pas, Cécile. Je ne brutalise personne. D'ailleurs, c'est une caboche, cette Paula, malgré ses airs de pensionnaire. Elle m'a regardé dans les yeux, comme si elle allait me tuer, et elle m'a répondu: « oui ». Et si je dis « près de cinq mois », c'est qu'elle me l'a elle-même fait savoir... Alors, vous comprenez bien, le carreau est plus fort que le trèfle et le pique est plus fort que le cœur et le carreau.

La porte venait de s'ouvrir et maman nous regardait.

— Qu'est-ce que vous faites? demanda-t-elle. On ne vous entend même pas.

— On réfléchit, dit Joseph. C'est difficile, un jeu comme ça.

— Vous êtes là, tous les quatre, à chuchoter.

— Mais oui. C'est un jeu anglais qui demande un calcul fou.

— Vous devriez vous reposer, au lieu de vous fatiguer la tête.

— C'est très amusant, mère. Allons, allons va te coucher.

— Ça sent le pétrole, chez toi, Joseph. Ce n'est pas sain.

— Ah! maman, tu nous troubles. Je ne sais plus où j'en suis. Tu comprends, Ferdinand, que, d'après ta plus forte couleur, tu vas tâcher de... Vous avez entendu se refermer la porte? Oui? Moi, je n'ai pas bien entendu. Vous voyez que le problème, en somme, est assez simple. Premièrement, que maman ne sache rien. Vous êtes bien d'accord là-dessus. Bon. Deuxièmement, que Paula disparaisse de la maison, et que ça ne traîne pas.

— C'est incroyable! s'écria Ferdinand. Ils n'étaient jamais seuls.

Joseph heurtait ses dents, à petits coups de langue, avec impatience.

— Maman, dit-il, fait son marché toute seule. Une vieille habitude. Et puis, il y a eu, pendant l'été, plusieurs courses de maman, à Paris, chez l'homme d'affaires, au sujet de l'héritage... l'argent de la tante Mathilde. Et puis, et puis, ça n'a pas d'importance. Le résultat est là. Je reprends : premièrement, que maman ne sache rien. Alors, il faut aller vite.

— Moi, souffla Ferdinand, j'ai idée qu'elle doit flairer quelque chose.

— Impossible ! objecta Cécile. Elle ne serait pas aussi calme.

— Ne vous tracassez donc pas, fit Joseph avec autorité. Sans doute, elle est sur le point de savoir et de comprendre, mais ce n'est pas fait encore. Il y a des tas de choses qu'elle a failli savoir et qu'elle a, pendant longtemps, fait effort pour ne pas savoir.

— Elle a le nez fin, chuchota Ferdinand.

Cécile eut un geste d'impatience.

— Je suis de l'avis de Joseph. Il faut qu'elle ne sache rien. Alors ?

— Alors, j'escamote Paula. C'est mon deuxième point.

— Escamoter Paula. Comme tu parles, quand même !

— Ah ! non ! Pas de querelles sur les mots. Voici mon plan de campagne. Demain, Ferdinand, tu t'arranges pour que maman t'accompagne à Paris. Pas à tortiller. Le prétexte est simple. Il s'agira, par exemple, de choisir quelque chose de ton ménage, de ton mobilier.

— Mais c'est déjà tout choisi. Rien que de l'ancien.

— Mon cher, ne nous fais pas douter de ton intelligence. Tu vas emmener maman jusqu'au magasin du Louvre, pour lui faire choisir, par exemple, un service à café que nous t'offrons, tous ensemble, Laurent, Cécile et moi. Je fixerai le prix tout à l'heure.

— Evidemment, je vous remercie. Evidemment, c'est un bon prétexte.

— Inutile de nous remercier, bien que ce soit de tout cœur. Pendant ce temps, papa fera ses visites au dehors. On va l'appeler à Brévannes. J'ai la lettre dans ma poche. Bien. Dès qu'il sera parti, Paula recevra, pour la forme, un télégramme dans lequel on lui dira que sa tante est très malade, pas une tante de notre côté, bien sûr. Quelque chose d'incontrôlable, une tante du monde Lescure. Pour tout cela, Paula ne dit pas non.

— Comment viendra le télégramme? demanda gravement Ferdinand.

— Le voilà, répondit Joseph en tirant un brouillon de sa poche. Il a été mis ce soir, dans un endroit convenable, par mon employé.

— C'est terrible, murmura Cécile. On dirait une exécution. Ça me soulève le cœur.

— Préfères-tu que maman sache? Préfères-tu un beau, un grand, un magnifique et dégoûtant drame de famille?

— Et dire, gémit Ferdinand, que ce n'est pas la première fois qu'il nous met dans des situations terribles!

— C'est, gronda Joseph, absolument inutile, entre nous, de l'accuser. Vous n'accusez pas le vent, vous n'accusez pas le soleil, vous n'accusez pas la marée. Compris? Seulement, il n'est pas défendu d'ouvrir son parasol, ou de fermer les volets ou de construire une digue. On se défend comme on peut. Est-ce que tout est entendu? Il faudra, bien évidemment, que Laurent et Cécile restent à la maison.

— Pourquoi ?

— Pour garder la maison. Parce que moi, je conduirai Paula Lescure à la gare et que la maison sera vide. C'est parce que Paula restait que maman pouvait s'absenter.

— Et qui portera les bagages de Paula ?

Joseph, pour toute réponse, prit la table par le bord, entre le pouce et l'index, et la souleva sans difficulté.

— C'est vrai, gloussa Ferdinand. Tu es, comme on dit, costaud. Que voulais-tu demander, Cécile ?

— On ne peut quand même pas la renvoyer dans sa famille.

— Tu sais bien qu'elle n'a quasiment plus de famille. C'est même pour ça qu'on l'a prise ici.

— Alors, c'est encore plus triste. C'est même révoltant. A-t-elle de l'argent pour... je ne sais pas... pour se loger ?

Il y eut un grand silence et je dis, tout à coup :

— Moi, je donnerai cinq cents francs.

Joseph se tourna vers moi.

— Cinq cents francs ! Où les prendras-tu ?

— Ce n'est pas une question discrète. Je donnerai cinq cents francs.

Joseph me considérait, l'œil attentif et soupçonneux.

— Et moi, dit Cécile, je donne aussi cinq cents francs.

— Admirable ! gronda Joseph. Vous allez lui faire des rentes. Enfin, vous êtes de belles âmes, tous les deux. Ça vous regarde.

Cécile était défigurée par la violence de ses pensées.

— Non! nous ne sommes pas de belles âmes. Nous sommes de pauvres gens et nous avons peur de tout.

— Pas de sentiment, Cécile. Ne nous attendrissons pas.

— Ça ne vous fait rien, à vous, de penser que le petit enfant qui va naître, en somme, c'est...

— C'est un petit enfant. Un point, c'est tout. Un petit enfant qui ressemblera sans doute à beaucoup de petits enfants.

— Ce n'est pas cela que je voulais dire.

— On peut avoir l'esprit de famille, Cécile, mais pas à ce point-là. Je répète: ne nous attendrissons pas. Nous connaissons tous nos rôles. Si maman n'est pas couchée, tu devrais bien, Ferdinand, t'entendre avec elle pour demain matin. Pas de discussion possible. Sois persuasif. Laurent et Cécile n'ont qu'à demeurer à leur poste. Je me charge de tout le reste.

Il y eut encore un instant de silence. Les lèvres de Cécile tremblaient.

— C'est égal! murmura Ferdinand. Cette Paula, tout de même! Elle était là, silencieuse, effacée. On ne pensait pas à elle.

— Oui, reprit Cécile, nous n'y pensions pas assez. Il y a de notre faute, sûrement, sûrement.

— Vous n'y pensiez pas? dit Joseph. Vous aviez tort. Moi, j'y pensais. Pas tous les jours, bien sûr; mais j'y pensais souvent. Inutile d'épiloguer, maintenant que le mal est fait. Vous me remettrez l'argent, ce soir même, autant que possible. Dans une affaire de ce genre, je ne donne pas de reçu. Vous comprenez bien pourquoi: je ne suis qu'un intermédiaire.

Cécile haussa les épaules.

— Encore un mot, bégaya Ferdinand... Heu.. Qu'est-ce qu'il va dire, lui?

— Ça, répondit Joseph, ça m'est complètement égal Il n'y a qu'une question pour nous: que maman ne sache rien.

— Sois doux, fit encore Cécile.

Joseph donna, sur la table, deux ou trois coups assourdis.

— Très doux, très poli, je te le promets.

— Oui, souffla Ferdinand, poli comme l'employé des pompes funèbres.

— C'est idiot, ce que tu dis là. Je répète l'essentiel que maman ne sache rien.

Nous approuvâmes d'un signe de tête et nous séparâmes là-dessus.

Je passai la matinée du lendemain dans la chambre de Cécile, bon poste d'observation. Maman dit qu'elle devait sortir avec Ferdinand et qu'elle nous laisserai Suzanne. Elle partit en effet. Un peu plus tard, notr père attela son boguet, mit un gros pardessus et s'e fut en sifflotant. Un peu plus tard encore, Joseph, qu venait de quitter la maison, revint, un télégramme au doigts. Nous attendions, Cécile et moi, dans la chambr surchauffée où babillait la petite Suzanne. Il y eut, à travers la maison, un bruit de pas et de portes. Nou n'osions sortir de notre repaire, dans la crainte d troubler Joseph.

Un peu plus tard encore, nous aperçûmes Joseph e Paula dans la cour. Joseph portait deux valises. I pleuvait légèrement. Paula ouvrit un parapluie qu la cacha presque tout entière. Comme ils poussaient l porte de la rue, nous entendîmes Joseph qui parlait:

— Si ça ne vous fait rien, nous passerons par Saint-Maur.

La réponse de Paula se perdit dans le vent d'hiver.

Cécile soupira :

— Joseph est terrible.

— Oui, fis-je, il sait ce qu'il veut.

Nous restâmes sans parler, ni lire, ni faire quoi que ce fût pendant une petite heure. Enfin, Joseph revint. Il monta nous voir tout de suite. Il avait l'air mécontent.

— Va jouer dans la salle à manger, dit-il à l'enfant Suzanne.

Quand nous fûmes seuls, tous les trois, Cécile demanda :

— Comment cela s'est-il passé ? Tu n'as pas été trop dur ?

Joseph secoua la tête.

— Ça s'est passé... presque trop bien.

— Trop bien ? Que veux-tu dire ?

— Elle a ri. Vous comprenez ? Au moment de monter dans le train, elle s'est mise à rire.

— Tant mieux ! s'écria Cécile. Imagine qu'elle ait pleuré. J'en étoufferais de honte.

— Je ne pense pas comme toi, dit Joseph, l'œil rêveur. Ça ne me dit rien de bon, cette façon de se moquer du monde.

Maman revint, vers une heure après midi. La rude voix de Joseph bourdonnait au pied de l'escalier.

— On m'a remis le télégramme à l'instant de monter dans le tramway. Alors, je suis revenu. Je l'ai même aidée à porter ses bagages. J'irai à Paris tantôt. C'est une matinée perdue.

— Enfin, disait maman de sa voix méditative, si vite ! si vite ! Et sans attendre mon retour. C'est presque incompréhensible. Que dis-tu de cela, Raymond ?

Papa venait de rentrer. Il répondit, entre haut et bas :

— Evidemment, c'est étrange. Bah ! Il faut s'attendre à tout.

Nous écoutions, Cécile et moi, bouche bée. Nous n'osions même pas descendre, saisis d'une frayeur absurde.

CHAPITRE XV

CÉCILE AU PORTAIL. IMPIÉTÉ DE VALDEMAR. MENACE NON SUIVIE D'EFFET. QUE LE MENSONGE A FORCE DE SYMPTÔME. DÉFENSE DE LA LITTÉRATURE. RETOUR SUR DES FAITS RÉCENTS. OÙ GÎT LA VÉRITÉ? ÉCLOSION DU NOUVEAU JOSEPH. EFFICACITÉ D'UN SIMPLE TRUC. POÉSIE DU COFFRE-FORT. ÉPILOGUE D'UNE HISTOIRE MYSTÉRIEUSE.

Ce drame à voix basse jeta la maison dans la stupeur. Nous évitions, nous, les enfants, d'en dire mot, même entre nous.

Deux ou trois jours plus tard, maman posa son ouvrage d'un air soucieux et murmura :

— Paula n'a pas encore écrit. C'est bien incompréhensible.

Notre père lança d'une voix distraite :

— Madame Herbelot viendra, trois heures, chaque matinée, à partir de lundi.

Tout retomba dans le silence.

Un dimanche vint. Il apportait une diversion véhémente.

Joseph était allé de bonne heure à Paris et devait revenir avant la fin du jour. Il revint en effet et j'entendis, dans la rue, le bruit d'une vive discussion.

Encore que l'éclat de voix ne fut pas une rareté dans la vie que nous vivions, je courus à la fenêtre. Joseph avait poussé le battant du portail et il en tournait la grosse clef. Puis il traversa la cour et pénétra dans la maison. Une personne demeurée sur le trottoir et que la porte nous cachait commença de pousser des cris. Ferdinand dit :

— C'est Valdemar. On reconnaît très bien la voix de Valdemar.

Joseph entra et dit, sans s'adresser à personne :

— J'ai rencontré M. Henningsen, dans le tramway. Je ne sais ce qui lui prend et je préfère ne pas le savoir. Il m'a tenu des propos d'homme ivre. Il sent l'éther ou quelque saleté de ce genre. Il s'est montré grossier, violent, incorrect à tous points de vue. J'ai pris sur moi de lui fermer la porte au nez et de le laisser dehors tant qu'il sera dans cet état. Je ne veux pas me trouver avec lui. C'est clair : s'il entre, je m'en vais.

Il y eut un instant de silence et Ferdinand, d'une voix moqueuse, hasarda :

— C'est la dictature.

Cécile saisit son grand châle à franges et sortit tout aussitôt. Nous la vîmes traverser la cour. Elle criait, de sa voix frêle, perdue dans l'espace glacé : « Etes-vous là, Valdemar ? » Puis elle tourna la clef. C'était une serrure ancienne, toute gémissante et engourdie. Cécile avait beaucoup de peine à manœuvrer la clef.

Joseph haussa les épaules et monta s'enfermer chez lui. Quelques instants plus tard, Cécile reparut, suivie de Valdemar. Il avait perdu son feutre. Ses cheveux étaient collés en grandes mèches par la pluie. En outre, il avait dû vomir et son vêtement en gardait la souillure. Il retira son pardessus. Cécile, se tournant vers moi, dit :

— Montons dans ma chambre. Venez, Valdemar, montez.

Péniblement, Valdemar gravit les degrés. A peine dans la chambre, il s'assit au piano.

— Vous feriez mieux, dit Cécile, de ne pas jouer de musique aujourd'hui.

Valdemar esquissa, de la main, un geste désinvolte. Il était, à chaque instant, soulevé par des hoquets au relent pharmaceutique.

Il commença de tourmenter le clavier. Jamais il n'avait été bon pianiste, mais se mémoire était grande : il jouait, imparfaitement, une foule de pièces classiques. Il commença donc, ce jour-là, de jouer, en dérision, toutes sortes de phrases, de traits que nous tenions pour les versets de notre Bible, pour les commandements de notre religion.

— Valdo, fis-je avec douceur, Valdo, si l'un de nous osait faire ce que tu fais en ce moment, tu le traiterais d'impie.

Il tourna vers moi son regard nuageux.

— C'est beau, les néophytes ! s'écria-t-il. Toutes ces blagues-là, c'est moi qui vous les ai fait comprendre. Tu n'espères pas m'en remontrer, petit garçon, avec tes grandes phrases.

Le châle de Cécile venait de glisser à terre. Elle se tenait debout, le regard chargé de courroux. Elle souffla :

— Valdemar, taisez-vous !

Comme Valdemar s'acharnait, Cécile, défigurée, saisit un gracieux vase dans lequel se consumait quelque pâle fleur de serre apportée de Paris et, soudain, avec violence, elle le brisa sur le plancher. Elle était livide, vraiment terrible à voir et nous regardait tous avec le regard décoloré de notre père. Elle disait :

— Vous ne comprenez que ce langage. Allez-vous enfin vous taire?

Valdemar lâcha le piano.

— C'est bon, dit-il, je vais me tuer.

Cécile éclata de rire.

— Allez-y!

Valdemar dans l'escalier, Cécile se jeta sur moi. Elle me serrait les poignets :

— Suis-le, je t'en prie, Laurent. Assez de laideur et de bassesse. Va, Laurent. Cette vie me fait horreur.

Je rejoignis Valdemar dans la cour et le suivis sans parler. Deux minutes plus tard, nous étions au bord de la Marne. Son regard m'atteignit de biais.

— Tu penses que je vais me tuer?

— Non, fis-je, malheureusement.

— Tiens, tiens! voilà de la franchise. Sais-tu qu'il y a du nouveau? Ma mère veut m'enfermer. Elle prétend que j'ai bu toute la bouteille d'élixir parégorique. On ne m'enferme pas comme ça. Je suis sorti de chez nous en dévissant la serrure. Il y a de quoi rire, n'est-ce pas?

— Oh! m'écriai-je, si tu voulais te soigner et guérir!

— Guérir de quoi? Me soigner pour quoi? Comment, toi aussi, Laurent, tu t'imagines que je suis malade, tu crois, peut-être, que je me pique? Mon cher, c'est complètement faux. Sain comme l'œil, je suis sain comme l'œil.

— Tais-toi, Valdo, ne mens pas.

— Je ne mens pas. Je ne mens jamais. Je déteste le mensonge.

— Valdemar, songe à la musique. Tu m'as dit souvent: « Une seule chose est sacrée, la musique, et c'est tout et c'est assez. » Voilà comme tu parlais.

— Mon cher, tu n'entends rien à la musique, laisse-moi te le dire. Sais-tu seulement que j'achève un opéra? Non! Trois actes et un prologue. Ça s'appellera *Les Amours jaunes*. Attends. Non, je me trompe. Le vrai titre, c'est *Une saison en enfer*. Beau sujet. Et pas de cordes: rien que des instruments à vent et à percussion, avec trois glockenspiels, bien entendu.

Il se prit à divaguer.

Quelques jours plus tard, je ne pus m'empêcher de raconter à Justin Weill certains détails de cette scène.

— Je suis, dis-je, absolument sûr que Cécile ne l'aime plus.

— S'il en est ainsi, s'écria Justin, c'est encore plus triste que tout.

Justin commençait alors de briller parmi les nouveaux zélateurs de l'école symboliste. Il me parut, sur le moment, que sa réponse était colorée d'emphase, ou, si l'on veut, d'éloquence, ou mieux encore de littérature, comme on disait dès ce temps-là. Je devais comprendre assez vite qu'une société de malotrus et de mufles appelle sans doute littérature toute expression élevée d'une âme noble et délicate et que sans un souffle de cette littérature, sœur de la politesse, la vie retombe assez vite à la goujaterie et à l'abjection.

J'en étais à méditer sur les chances d'éloigner le misérable Valdemar, quand Cécile me ramena, brusquement, à d'autres soucis. Elle me dit, un soir, tout bas :

— Quel âge peut avoir papa?

— Attends. 1846... Alors, bientôt cinquante-quatre.

— Cinquante-quatre! C'est impossible.

Cécile réfléchit quelques instants, et soudain, la voix fléchissante :

— Et quel âge avait Paula?

— Cécile, dis-je, ne sens-tu pas comme ta question est extraordinaire? Pourquoi dis-tu « avait ». Imagines-tu qu'elle est morte?

Cécile se couvrit les yeux de ses mains.

— C'est affreux. Non. J'ai dit « avait » peut-être seulement pour moi. Pour me permettre d'espérer que ce cauchemar était fini. Mais, j'ai pitié, sois sûr. J'ai pitié.

J'attendis un grand moment et dis encore ceci :

— Vingt-deux ou vingt-trois ans. Je ne peux rien affirmer.

— Tu lui parlais, toi, quelquefois?

— Non. C'était presque impossible. Elle ne répondait rien. Je lui ai dit souvent : « Vous n'avez donc pas faim? Vous ne mangez rien. » Elle répondait : « Je n'aime pas ça. Je n'aime pas ce qu'on mange ici. » Il m'arrivait de lui demander son avis sur les petits événements de la maison. Elle me répondait : « Ça ne me regarde pas. »

— Moi non plus, je ne lui parlais guère. Oh! nous avons eu tort. Nous avons dû manquer à quelque chose Laurent. Nous avons, de l'esprit de famille, une idée trop étroite, oui, vraiment, presque sauvage.

— Cécile! Cécile! Qui donc eût pu prévoir une chose pareille? Et puis, on ne sait pas...

— Que ne sait-on pas? hélas!

— Figure-toi que Joseph se soit trompé.

En fait, j'étais tourmenté par le sentiment confus, enfantin, opiniâtre, que Joseph avait pu se tromper. Je regardais papa, le soir, pendant le dîner de famille. Il avait, comme aux plus beaux jours, l'air souriant et dédaigneux. Rien ne trahissait même, en lui, le dépit d'une volonté contrariée. Il tirait d'un doigt léger sur ses moustaches de feu. Il apostrophait l'un ou l'autre avec aisance et ironie. De pied en cap, il était lui-même, comme hier et comme toujours, avec une innocence désarmante. Et si, dans tous ses propos, par toute son attitude, il blessait la vérité, il le faisait, je suis obligé de le reconnaître, de manière si naturelle qu'on en venait à douter du sens de la vérité, puis de l'existence même d'un semblant de vérité.

Un soir, Joseph dit:

— Pas de nouvelles de Paula? Non. Et ce n'est pas étonnant. N'en sois pas inquiète, maman. J'ai pris des renseignements. Oui, tu n'as pas besoin de sourire, Ferdinand. J'ai fait prendre des renseignements par mon service ordinaire. Paula Lescure est tombée malade en arrivant chez sa tante... Une pleurésie, paraît-il.

Je regardais mon père, pendant ce petit discours. Il mangeait le potage et ne cilla même pas.

Ferdinand commença de parler du Transvaal et de ce qu'il appelait « les événements de Chine ». Par je ne sais quel détour, il revint à Dreyfus. Le mot explosif éclata dans le silence. Le char de notre famille semblait tout à fait embourbé.

— Pourquoi, dis-je à Joseph en présence de Cécile, pourquoi donc as-tu raconté cette histoire de pleurésie? Sais-tu vraiment quelque chose?

Il hocha la tête avec impatience.

— Pour une fois, je ne sais rien. Il faut ruser un peu... sans ça maman s'étonnerait. Je suis sûr qu'elle s'étonne déjà.

— Mais lui, l'as-tu regardé? C'est extraordinaire, Joseph. Pas un mouvement sur son visage.

— Ça prouve qu'il est... mettons très fort.

Je compris que Joseph n'avait pas l'intention de poursuivre l'entretien. Il eût été difficile de ne pas remarquer, environ ce temps, un grand changement dans les allures de Joseph. Encore qu'il eût pris, dans toute l'histoire de Paula Lescure, la conduite des opérations, il semblait impérieusement requis par ses affaires personnelles. Survinrent des jours orageux pendant lesquels je sentis que Joseph devait livrer quelque chose comme une bataille. Et puis, tout se dénoua. Joseph sortit de Joseph. Oui, certes, comme un insecte dépouille sa dernière enveloppe larvaire pour se montrer dans sa forme parfaite, le vrai Joseph aparut, celui que l'on voit maintenant et que tout Paris connaît. Je n'abuserai pas des mots en écrivant qu'il augmenta brusquement de volume, qu'il prit, en quelques jours, de l'éclat, de la magnitude, comme diraient les astronomes. Il avait une instruction générale très incomplète; il faisait souvent des fautes qu'il sentait obscurément et sur lesquelles il glissait avec une sorte de prudence. Il ne modifia certainement pas son langage — il ne l'a d'ailleurs jamais amélioré depuis — mais il manifesta soudain cette assurance orgueilleuse, cette force initiale de propulsion, cette maîtrise dans l'erreur qui dévie, au moins pour une seconde, toutes les certitudes et toutes les lois, même celles de la grammaire.

J'étais beaucoup trop soucieux pour suivre dans ses moindres phases une telle métamorphose. Ferdinand ne voulut m'en laisser rien ignorer. Un matin, comme nous partions ensemble à Paris, par le même train, il soupira, la voix juteuse.

— Tu sais, Laurent, son truc...

— Quel truc? Le truc de qui?

— Le truc de Joseph. Allons, tu me comprends bien. « L'argent, qu'il disait, c'est un truc... » Eh bien! il l'a trouvé.

— Vraiment, fis-je, et tu crois ça? Tu crois qu'il suffit d'un truc?

— Que veux-tu? C'est à croire. Sais-tu combien il a gagné, dans les dix derniers jours? Eh bien! je vais te le dire. Il a gagné dix mille francs.

— D'un seul coup!

— D'un seul coup. C'est dégoûtant, à un certain point de vue. Mais c'est épatant quand même.

— Et comment a-t-il fait?

— Ce n'est pas de la magie pure et simple. Non, c'est une opération. Tu penses: une opération! Ce que je peux t'affirmer, c'est qu'il a gagné dix mille francs. Alors, maintenant, ça va rouler.

— Dix mille francs? C'est quand même considérable!

— Bien sûr, mais c'est comme ça. Et sais-tu qu'il a un coffre? Je veux dire un coffre-fort. Oh! pas chez lui, pas dans son bureau. Pas si bête. Non, à la banque, rue du Louvre. Tu ne sais pas ce que c'est qu'un coffre?

— Non, pas très bien.

— Moi, je suis allé voir son coffre. Il m'a emmené voir son coffre. Il ne m'a pas montré l'intérieur, évidemment. Il n'est pas très communicatif pour les détails. Je dois d'ailleurs dire que, pour les dix mille francs, il ne m'en a même pas ouvert la bouche. C'est une affaire qu'il préparait depuis six mois et qui s'est déclarée tout à coup... Le coffre, c'est vraiment très bien. Tu passes d'abord au guichet et tu donnes une signature, parce que, tu comprends, les précautions s'imposent: la sécurité, le contrôle, etc..., etc... Il faut montrer patte blanche, présenter sa clef, enfin, tous les salamalecs. Après, tu descends à la cave. Pour Joseph, c'est dans la cave. C'est d'ailleurs très propre, tout à fait distingué. De belles peintures, un tapis, de la tenue, quoi! Et alors, il y a une grille, oui, comme pour les bêtes sauvages. Tu te rappelles Cécile qui parlait des bêtes sauvages? Tu donnes un petit papier, et un gardien ouvre la grille. Un gardien en uniforme. Tu comprends qu'on ne met pas n'importe qui. Alors, tu vois les coffres. Il n'y que cela, tout le long des murailles. Ce sont des coffres énormes, comme des armoires. On les ouvre et, dedans, il y a une infinité de petits coffres pour les particuliers comme toi et moi. Oui, pourquoi pas moi? Je vais prendre aussi un coffre. Je ne vois pas pourquoi je ne prendrais pas un coffre. Tu regardes ça et rien qu'à la pensée qu'il y a, là, des millions et des millions, ça te fait quelque chose dans le ventre. Alors, tu donnes ta clef. Le gardien l'introduit dans la serrure et il tourne une autre serrure avec sa clef à lui, pour que tu puisses te servir de la tienne...

— Ça me paraît bien compliqué.

— C'est comme ça. D'ailleurs, avec l'argent, on ne prend jamais trop de précautions. Pour ça, Joseph n'a pas tort. Alors, tu fais ton chiffre.

— Quel chiffre ?

— Un chiffre que tu fais en tournant de petites vis. Je ne peux pas tout t'expliquer, ce serait trop long. Quand tu as fait le chiffre, la clef tourne... elle ne tourne pas toute seule, c'est toi qui la tournes... et la porte s'ouvre. Mais il ne m'a pas laissé regarder dans l'intérieur. Il m'a dit : « Chacun ses affaires. » Ça se comprend, ça se comprend. Et puis, ça m'est égal : je sais ce qu'il y a dans l'intérieur.

Ferdinand resta quelques instants sans mot dire et reprit, le regard voilé.

— C'est sûrement un bon truc, son truc à Joseph.

— Puisqu'il s'agit d'un truc, pourquoi ne t'en sers-tu pas ? fis-je en regardant Ferdinand.

Il gonfla légèrement le col.

— Je ne dis pas que, plus tard... Dame, il y a le risque. Il faut la mise de fonds. Mais, je ne dis pas. Je verrai.

Nous arrivions à Paris et l'entretien s'arrêta là.

De cette période mémorable, je me rappelle encore ceci : Joseph, un soir, m'arrêta sur le palier du premier étage et, soudain, baissant la voix :

— Il m'est venu à l'idée que, pour l'affaire des mille francs...

— Quelle affaire ? dis-je, le sourcil rétif.

— Le fameux billet de mille francs, le billet jeté dans la Marne. Eh bien ! j'ai vaguement en tête que, pour cette affaire-là, tu t'es peut-être foutu de moi. Ça ne fait rien, ça ne fait rien. Inutile de protester. Ça prouverait seulement que tu n'es pas aussi bête que tu en as l'air, parfois. Ne cherche pas de réponse : je ne demande pas de réponse. Bonne nuit, mon garçon, bonne nuit.

CHAPITRE XVI

NOUVELLES VARIATIONS SUR LE THÈME DE L'EMPRUNT. DÉPLACEMENT DE L'ÉNIGME. PROPHÉTIES RAISONNABLES. L'ARTICLE SIMPLE ET L'ADJECTIF POSSESSIF. JOSEPH ET LA TANTE ANNA. ON PEUT ÊTRE FRÈRES ET NE SE RESSEMBLER POINT. SCHLEITER NE REFUSE PAS UN CONSEIL. RÉVÉLATION BOULEVERSANTE. DEUX PIÈCES ET UNE CUISINE.

COMME la maison est calme! Joseph a pu se tromper. Il y a, dans toute cette aventure de Paula, trop de hoses incompréhensibles. Notre père est parfaitement erein et même allègre, malgré ses ennuis d'argent. l a de gros ennuis d'argent. Il a reçu du papier timbré, our l'affaire de l'automobile. Et il a fallu payer. On payé, non sans mal. Il parle de plaider, pour le ıalheureux terrain. Maman tâche de l'en décourager. l dit parfois : « Encore plus d'un an avant que Laurent e soit majeur... » Je comprends fort bien le sens de ette sollicitude. C'est un prélude à l'emprunt que 'on fera sur mon titre. D'autre fois, il dit : « Je me emande pourquoi Joseph ne me prêterait pas de 'argent. Je lui en ai donné, alors qu'il me prête celui que je lui ai donné. » Il ajoute des considérations sévères sur les professions libérales : « Nous avons peiné dix ans pour nous élever par le savoir. C'est une duperie pure et simple. »

Là-dessus, il prend son chapeau, enfile son pardessus, et va voir ses malades. Et c'est d'autant plus étonnant qu'il n'a pas de malades à soigner, ou, du moins, très peu.

De Paula, pas un mot. Le seul indice qui pourrait donner raison à Joseph, c'est le soin vigilant avec lequel notre père évite la moindre allusion à Paula Lescure. Mais c'est un signe bien incertain. Il a peut être oublié Paula. Dès qu'il ne voit plus les gens, il les oublie, il les abandonne.

L'énigme n'est plus chez papa. Je sais que tout ce qu'il fera me doit être énigmatique ; alors, il n'y a plus d'énigme, tout au moins en ce qui le concerne. C'est maman qui m'inquiète. Elle ne sait sûrement rien si vraiment elle soupçonnait quelque chose, elle devrai être au désespoir et je le remarquerais bien. Elle n'est pas au désespoir. Elle est comme engourdie. On dirai qu'elle fait effort pour ne pas se réveiller tout à fai jusqu'à des jours moins troubles.

Nous voici, tous les deux, seuls, près du poêle. E c'est elle qui noue l'entretien. Elle rêve à haute voix

— Evidemment, ce diplôme, ce n'est pas ce que nous pensions, du moins ce que pensait ton père qui aime les illusions.

Comme je ne réponds pas, elle continue sans hâte

— Ça ne fait rien, ça ne fait rien. Il ne s'est pas trompé, quoi qu'il dise. Il y aura vous autres. Et vous ce sera tout à fait bien. La science, comme il disait

Eh bien! toi, tu réussiras. Tu prendras sans doute les :hoses plus doucement, plus patiemment.

Cette paisible prophétie ne me fait pas encore sortir lu silence. Mère soupire et continue:

— Tu voulais t'en aller, un jour. C'était rue Guy-de-a-Brosse. Oui, des idées d'enfant. Qu'est-ce que tu urais fait, mon pauvre Laurent? Tu serais, aujour-l'hui, je ne sais quoi, petit clerc dans une étude ou ommis dans un magasin. Eh bien! tu as ta licence t ce n'est pas fini. Tu vois! Tu vois! Il faut attendre. Ce n'est pas que pour nous les choses marchent trop ien. Malgré tout, ça marche quand même. Quand je e veux pas que vous vous fâchiez, je sais ce que je fais, aurent.

Elle soupire encore et reprend son ouvrage: car amais elle ne cesse de ravauder, de tricoter, d'agiter es mains toutes déformées déjà. Je la regarde, sans rop d'application, pour ne pas l'effaroucher. Elle s'est eaucoup appesantie, surtout dans ces dernières années. Et pourtant, ce soir, je lui trouve de la majesté, je e sais quelle grandeur antique. Eh oui! elle représente, umblement, sans presque le savoir, des lois plus ieilles que l'homme, les lois même de la vie élémen-ire.

— Oui, dis-je au bout d'un long moment. Toi, du oins, tu as des principes. Toi, tu sais où tu vas, tu sais que tu veux. La famille! A tout prix!

Elle retire ses lunettes, car maintenant, pour coudre, le a besoin de lunettes. Elle me regarde en souriant rc timidité.

— Oh! la famille, c'est bien grand, c'est bien vague.

Non, ma famille, voilà tout. Je ne vois pas beaucoup plus loin. J'ai tant de choses à faire.

Le silence, une fois encore, nous effleure de ses mitaines. Et puis, je lance, à voix légère :

— Sais-tu ce que Joseph a dit, ce matin, devant moi ?

— Je ne sais pas, Laurent. Ce dont je suis bien sûre c'est que ce n'est probablement pas très méchant. Il y a du bon, chez Joseph.

— Non, ce n'est pas très méchant, ce n'est que drôle Nous étions dans le tramway et Joseph payait sa place Il a donné deux sous de pourboire au conducteur. Oui tu as bien entendu. Et il a dit, en se gonflant, ma parole comme un pigeon : « Tu n'imagines pas, Laurent, comme c'est agréable de se comporter en grand seigneur. »

Mère a très bien écouté, non sans un peu d'inquiétude Soudain, elle se met à rire, un léger rire de petite fille

— Ah ! dit-elle, ça me rappelle Mme Troussereau, votr tante Anna, que nous ne voyons plus guère. Un jour nous étions chez elle. C'était l'époque où je portais t sœur Cécile. Ferdinand m'accompagnait. Ce devait êtr l'heure du goûter. Alors Mme Troussereau donne à to frère une très petite tartine de pain sec, hésite u peu et ajoute quoi ? Un radis noir. Elle avait l'air rav Elle disait : « Ici, c'est la maison du Bon Dieu ! Bien entendu, j'ai retiré le radis, sans en avoir l'ai On ne donne pas de radis noir à un enfant de cinq ans. Oui, Ferdinand devait avoir cinq ans. Elle ne vou donnait jamais rien. Mais si, par hasard, elle vou avait donné un caillou, un vieux bouchon, moins mêm un pépin de pomme, elle en parlait pendant des moi elle donnait aussi une foule de conseils pour utiliser caillou, le bouchon, le pépin de pomme... Joseph ! J ne dis pas non : il est un peu le neveu de Mme Troussereau. Mais il a ses qualités. Vous ne vous ressemblez pas. On ne se ressemble pas toujours entre frères, entre sœurs. Je ne parle pas pour mes pauvres sœurs de Lima, je ne les ai pas connues. Vois du côté de ton père. Il ne ressemble en rien à son frère Léopold. Vous nous avez, l'autre jour, reproché, mais oui, reproché de ne pas fréquenter ce Léopold. C'était un homme terrible et il n'a pas dû changer. C'était même un méchant homme. Avec sa première femme, ils battaient les enfants. Et pas comme tu pourrais le croire : une taloche par-ci, par-là. Non, de vraies séances de coups. Ils y pensaient, ils en parlaient d'avance. Et, le samedi soir, ils s'enfermaient chez eux, là-bas, à Nesles, dans la maison qui leur vient du grand-père Bruno Pasquier. Et ils battaient les petits. Ils s'y mettaient tous deux, le père et la mère. Et les voisins faisaient le signe de la croix et s'arrêtaient de manger. Et quand on demandait au pauvre enfant Albert : « Qu'est-ce que tu as, près du sourcil ? » il répondait : « C'est un coup. » Des bêtes féroces, voilà ! Tu vois qu'on peut être des frères et ne pas se ressembler du tout.

Nous retombons au silence, puis maman parle encore.

— Ce qu'on devient ! Ce qu'on devient ! Qui peut le dire ?

Je regarde mère au visage. A quoi pense-t-elle ? Va-t-elle se livrer à quelque ample considération sur la chute des empires et les tribulations de la fortune ? Non, sans doute, mère ne lit pas les journaux, son univers est tout petit. Elle fait un sourire d'une grande naïveté, un sourire qui s'arrête aux murailles de la maison.

— Ce qu'on devient! reprend-elle. Regarde justement Joseph. Il n'avait pour ainsi dire pas de nez quand il était petit. Un pois chiche et moins encore. Et voilà qu'il a pris gros nez, le pauvre. C'est à ne pas le reconnaître. Toi-même, quand tu étais enfant... Oui, vous faites la grimace, dès qu'on aborde cette question. Eh bien! tu avais la voix plutôt délicate et des mains de chérubin, comme Cécile. Et maintenant, on dirait qu'on t'a remplacé par un autre. Ça ne fait rien: tu es toujours mon fils.

Elle rêve et même elle sourit.

Evidemment, elle ne sait rien: sinon, je ne crois pas qu'elle pourrait encore sourire.

Je regarde Suzanne qui joue à la décalcomanie, au bout de la table. Que deviendra donc aussi cette chaude petite bête vivante?

Un jour passe et me voici dans la paix du laboratoire. L'après-midi s'achève. Nous causons. Schleiter et moi.

— Pensez-vous, lui dis-je, qu'un jeune homme de mon âge, licencié, comme je le suis, pourrait, sans quitter ses études, bien entendu, trouver une occupation qui lui permette de vivre, de façon même très modeste?

Schleiter balance sa longue face noire.

— Ce n'est pas impossible. Je ne vous ai donc jamais dit que, de dix-sept à vingt-trois ans, je recevais quarante francs par mois, ce qui représentait d'ailleurs, pour mon père, un sacrifice considérable?

— Alors?

— Alors, mon petit, j'ai gagné le reste. Il y a bien des moyens. J'ai donné des leçons. J'ai composé des ouvrages que je ne signais pas moi-même. Voyons, mon petit, c'est l'enfance de l'art.

— Schleiter, j'aurai besoin de vos conseils.

— Vous rêvez d'indépendance?

— Peut-être bien. Sais pas encore.

— C'est dans l'ordre. Il y a toujours un moment où le cordon ombilical commence à se dessécher.

— Je ne rêve pas d'indépendance, je rêve de... sérénité.

— Une chose est fonction de l'autre. Tenez, voici monsieur votre frère.

Joseph, en effet, vient d'entrer. Il retire son chapeau melon, pose son parapluie sur l'évier et dit :

— Nous rentrerons ensemble. Il faut que je te parle. Un instant, veux-tu? Deux mots à dire à Mlle Strohl. Un simple renseignement.

Qu'y a-t-il encore? Que veut Joseph? Et ce renseignement... De quel renseignement peut avoir besoin Hélène? J'ai pris mon pardessus. Joseph siffle, avec une légère grimace :

— A quel régime soumettez-vous les chiens pour les faire hurler comme ça?

— Vous êtes bien sentimental, module Schleiter.

Joseph hausse les sourcils.

— Avec les hommes, je ne crois pas. Avec les bêtes, c'est autre chose.

Et puis nous voilà dans la rue. J'attends que Joseph commence. J'attends qu'il prenne l'offensive. Il ne se presse point. Comme nous arrivons au tram, il dit :

— J'ai vu Paula Lescure.

— Ah! Et que se passe-t-il?

— Devine où je l'ai vue?

— Je ne peux pas le savoir.

— A Créteil. Elle est à Créteil. Tout bonnement. Tout simplement. Elle est installée à Créteil. Deux chambres et une cuisine. Au bout de la grande rue. Toute la rue le sait, car il vient passer là deux heures le matin et deux heures le soir. Tu ne dis rien?

— Qu'est-ce que tu veux que je dise? Je trouve tout cela effrayant.

— Tu ne savais peut-être pas encore ce que c'est qu'un homme. Bon. Tu commences à le savoir. J'ai parlé à Paula Lescure. Inutile de te dire où. Ce serait trop compliqué. Je lui ai parlé, poliment. Sais-tu ce qu'elle m'a répondu? Non? Elle m'a dit: « Vous m'avez fait asesz de mal, tous autant que vous êtes. » Voilà! Je ne sais ce que nous avons pu lui faire. La situation à Créteil est perdue et personne au monde ne pourrait la rétablir. Restent deux points: Premièrement, que maman ne sache rien, et c'est de moins en moins facile Deuxièmement, je ne veux pas de scandale. Il faut quand même que ça cesse, parce que ça me gêne beaucoup.

Le tramway s'époumonne le long des quais déserts. Puis c'est une banlieue ténébreuse qui gémit sous les étreintes de l'hiver et de la nuit.

Joseph se penche vers moi, car nous avons des voisins. Il murmure:

— Tes cinq cents francs et les cinq cents francs de Cécile... Voilà, mon garçon, à quoi ils auront servi: deux pièces et une cuisine. On le tiendrait peut-être par l'argent, ce serait un bon moyen. Mais vous lui en donnez, de l'argent. Résultat: deux pièces et une cuisine.

CHAPITRE XVII

JOSEPH RÉPROUVE LE SCANDALE. IL N'Y A PAS DE REFUGE. UNE MANŒUVRE HASARDEUSE. QUE LES DISCUSSIONS PEUVENT DÉVIER. LARMES DE MA SŒUR CÉCILE. ON FRAPPE À LA PORTE. NOUVELLE VICTOIRE DE L'INSAISISSABLE.

Je t'assure, Joseph, qu'il n'est pas nécessaire que Cécile soit là.

— Si, si, je veux Cécile. Justement pour l'humilier, lui. Dans un quart d'heure, maman va sortir pour aller aux provisions. Le joyeux dîner de Noël que nous aurons, ce soir ! Maman va prendre Suzanne. Suzanne, depuis ce matin, la tanne pour des bougies de couleur. Dès qu'elles seront parties, j'appellerai papa.

— Arrangeons-nous, Joseph, pour que ce n'ait pas l'air d'un tribunal.

— Laurent, voilà comme tu es. Autrefois, dans certaines affaires d'une importance beaucoup moindre, tu faisais toutes sortes de chichis qui même ont failli troubler la vie de la maison. Aujourd'hui, je te trouve d'une indulgence inconcevable.

— Je ne suis pas indulgent, hélas ! ou, du moins, pas encore. Mais je pourrais te retourner tout ce que tu viens de me dire: autrefois tu jugeais tout cela comme des choses sans conséquence et voilà que, maintenant, tu montres toutes tes griffes.

— C'est qu'aujourd'hui cela me gêne. Je ne veux pas de scandale. Allons, ne perdons pas notre temps. Dès que maman sera sortie, venez ici, tous deux. Moi, je me charge de papa.

J'allai frapper chez Cécile et commençai, parlant bas, de la préparer un peu.

— Joseph est décidé, Cécile. Et Ferdinand pense de même. Ils disent que c'est la seule façon d'éviter de plus grands malheurs. Ils veulent que tu sois là. J'ai fait l'impossible pour les en dissuader.

— Ils ont raison. Je préfère être avec vous, bien que ce soit effrayant. Non pour l'accuser, crois-le. Pour que ce ne soit pas... ignoble.

— Sœur, tu es admirable.

— Non, non, pas admirable, mon pauvre Laurent, mais triste, triste à crier.

— Nous nous consolerons, Cécile. La musique nous reste.

— Laurent, je vais peut-être dire une parole sacrilège. La musique! J'ai cru longtemps qu'elle me protégerait de tout. Je vivais dans la musique et j'étais comme dans une citadelle, au plus épais des nuages. Je vis toujours dans la musique, mais je sens bien que je ne suis plus invulnérable. Tout me fait mal.

— Moi non plus, sœur, je ne suis pas invulnérable! Il n'y a pas de refuge. Ah! voilà maman qui s'en va, voilà Suzanne et maman qui sont parties. Allons, Cécile, c'est l'heure.

Cécile prit son châle et nous passâmes tous deux dans

la chambre de Joseph. Nous y trouvâmes Ferdinand. Il était, dès le matin, peigné, lavé, bien vêtu, ce qui n'était pas sa coutume des jours fériés. Il avait mis un col blanc et montrait, dans toute sa personne, quelque chose de cérémonieux et d'endimanché. Il nous fit signe de nous asseoir et, pendant plusieurs minutes, nous restâmes attentifs aux rares bruits de la maison. Enfin, nous entendîmes des pas dans l'escalier.

— Je vais te montrer, disait Joseph, mes fiches de renseignements au sujet de ton terrain.

Ils entrèrent tous deux ensemble, très vite. La porte refermée, papa nous aperçut. Il portait sa robe de bure. Du col à capuchon, la tête sortait, droite, vraiment très jeune encore avec les cheveux dorés et bouclés, les moustaches ardentes, un peu folles, et ce sourire vagabond, ce sourire insaisissable qui semblait toujours voltiger, toujours méditer quelque fuite, ailleurs, ailleurs, ailleurs. Je le regardais de toutes mes forces et je sentais que je ne pouvais pas le haïr, et je désespérais même de jamais pouvoir le comprendre, lui qui m'avait engendré, qui m'avait tiré du plus intime de sa substance. Il fit, de la tête, un salut qui ne manquait ni de grâce, ni de hauteur, et dit :

— Charmante réunion. Mes petits, laissez-moi seul avec Joseph.

— Non, papa, trancha Joseph. Nous avons à causer tous ensemble. Prends une chaise et je commence.

— Mon cher, je croyais que tu m'avais fait monter pour me parler du terrain.

Il s'efforçait encore de garder ce ton léger qui nous avait toujours déroutés et séduits.

— Père, j'ai changé d'avis. Nous allons parler de Paula.

Le sourire bleu véronique venait de virer au clair.

— C'est la deuxième fois, dit-il, que je tombe dans un tel piège. A l'avenir, je me méfierai.

— A l'avenir est admirable, dit tranquillement Joseph. Je vois que tu fais des projets. Non, papa, ne t'en va pas. Fais-nous même l'amitié de t'asseoir une minute. Nous sommes réunis non pour disputer, crois-le, mais pour discuter, ce qui n'est pas la même chose, et pour discuter promptement.

— Ni dispute, ni discussion. Je ne vois pas de quel droit vous vous mêlez de mes affaires. Moi, je ne tourmente personne, moi je ne me mêle des affaires de personne. Je m'ennuie déjà beaucoup dans ce Créteil, et vous voulez probablement m'y rendre la vie impossible. Jamais je ne me permettrais, moi qui suis un homme expérimenté, de vous reprocher quoi que ce soit, et vous vous réunissez tous les quatre pour me faire de la morale. C'est une prétention comique.

— Pas de morale, dit Joseph. Je me moque de la morale. Moi, je ne suis pas Laurent. Je répète : pas de morale.

— Alors, qu'est-ce qui te prend?

— Je dis, papa, que tu nous gênes. Tu comprends bien : moi, particulièrement, tu me gênes.

— Veux-tu m'expliquer en quoi?

— Je ne veux pas de scandale. Premièrement, pour mes affaires, qui pourraient en souffrir. Deuxièmement, pour la réputation de la famille, parce que je vais me marier.

— Tu vas te marier! m'écriai-je. Tu n'en as jamais parlé.

— Maintenant, j'en parle. Tu vois, père, que je limite le débat. Je ne dis même rien de maman, pour ne pas mêler à notre entretien des considérations sentimentales auxquelles tu n'es pas fort sensible. Je dis: pas de scandale. Et Ferdinand dit comme moi.

— Bien sûr, murmura Ferdinand, je vais me marier aussi.

— Eh bien! mes enfants, mariez-vous, mariez-vous!

— C'est prodigieux! s'écria Joseph. Nous ne te demandons pas ta bénédiction. Nous te demandons la paix. Ce n'est pas exagéré.

— La paix! C'est vous qui la troublez, la paix.

— Enfin, papa, c'est monstrueux. Installer cette personne à Créteil même et... dans l'état où elle est. A dix minutes de la maison. C'est jouer avec la poudre. Créteil? Pourquoi Créteil?

Père eut une réponse désarmante.

— Pour faire des économies, de temps et même d'argent.

Nous nous regardions tous quatre, tout à fait décontenancés, sentant, confusément, que la scène déviait, qu'elle n'était pas du tout ce que nous voulions qu'elle fût, que l'homme insaisissable, une fois de plus, nous glissait entre les doigts.

— Vous voyez bien, dit Cécile, que cette discussion est à peu près insensée et sûrement inutile. Comment, Joseph, il s'agit d'un malheur, d'un très grand malheur, d'une chose à laquelle on ne peut songer sans désespoir et sans honte, et tu ne trouves qu'une chose à dire: que ça nous gêne, que ça te gêne. Non, non, laissez-moi sortir.

— Evidemment, dit papa. C'est le mieux que tu puisse faire. Toi, Cécile, une jeune fille! Je me demande un peu ce que tu fais ici. Les jeunes filles d'autrefois étaient plus réservées.

— Attends encore un instant, Cécile, grommela Joseph. On peut quand même s'entendre et prendre une décision.

Cécile se mit à sangloter.

— Non, disait-elle, non. On ne pourra jamais s'entendre. Tout ce que vous dites n'est rien. Vous parlez de décision, d'affaires, de scandales, de je ne sais quoi. Tout cela est misérable. Tout cela est mortellement triste. Taisons-nous, taisons-nous. Le mieux est de se taire.

— Nous nous en irons! m'écriai-je. Nous quitterons cette maison, sûrement, Cécile et moi.

— Eh bien! mes enfants, partez. Je ne dis pas le contraire. Mais partez discrètement, sans mélodrame. Tu vois, Joseph, le danger de mêler une enfant nerveuse à des querelles ridicules.

— Ça ne fait rien, gronda Joseph. J'irai quand même jusqu'au bout. Je ne te demande qu'une chose, une chose simple et réalisable: que Paula parte de Créteil.

— Elle partira si je le veux, si je le peux, mon ami.

— Je saurais t'y obliger.

— Mon cher, je te demande comment.

Joseph éclata soudain.

— Méfie-toi! Je suis puissant, J'ai des relations. Je suis riche.

— Tu es riche, soupira mon père. Tu es riche à vingt-sept ans. Mon ami, tu as de la veine!

Joseph était debout, le dos contre la porte. Il dit avec fureur :

— Ne me mets pas au défi! Ne te moque pas de moi!

Petit à petit, notre père retrouvait son sourire moqueur.

— Je ne me moque pas de toi. Je dis seulement que je t'ai bien mal élevé. Pour moi, c'est un crève-cœur.

A ce moment, nous entendîmes frapper doucement à la porte.

— Ouvrez! disait maman d'une voix à peine perceptible.

Il y eut un moment de silence mortel.

— Voilà! fit papa très bas. Voilà ce que tu cherchais.

— Ouvrez! répétait maman.

— Une seconde, souffla Joseph. Allons, promets-nous, là, tout de suite, qu'elle va quitter Créteil.

— C'est ce que j'appelle, répondit mon père, abuser d'une situation. Je ne promets absolument rien. Tu me fais de la peine, Joseph.

La porte sonna soudain sous des coups de poing pressés. Mère criait maintenant :

— Ouvrez! Ouvrez! Je veux entrer. Que faites-vous, dans cette chambre?

Cécile écarta Joseph et tourna la clef. La porte s'ouvrit aussitôt. Notre mère fit deux pas, nous regarda tous les cinq. Un regard insoutenable. Le regard du malheureux qui est pendu par les mains au-dessus d'un abîme, qui a résisté longtemps mais qui ne résiste plus et se décide à lâcher prise. Elle fit encore un pas et tomba sur le plancher.

— Vous l'avez tuée, s'écria Cécile.

— Non, dit papa. C'est seulement un accès nerveux. Elle en avait de semblables, autrefois, quand elle était jeune femme. Allez me chercher de l'eau, du vinaigre et une serviette.

Ferdinand se jeta dans l'escalier. Nous nous tenions tous à genoux. Maman était roide et très blanche. Ses pieds et ses mains étaient tordus dans une attitude inhumaine. On entendait ses dents grincer. Un gémissement lent et confus s'échappait de ses lèvres. Papa commença de lui dégrafer son corsage. Nous fûmes saisis de honte et Cécile, retirant son châle de cachemire, l'étendit sur la malade. Père disait, d'une voix sincèrement apitoyée :

— Elle vous a nourris au sein, même la petite Suzanne. Chez elle, c'est un principe. Je vous répète que c'est une simple crise nerveuse. Non, ce n'est pas mortel. Ce n'est même pas très dangereux ; mais c'est pénible, sans aucun doute. Et vous pourrez dire, mes enfants, que vous l'aurez voulu ; vous pourrez dire que vous aurez fait ce qu'il fallait faire pour en arriver là. Cécile, cherche un oreiller. Glisse-le lui sous la tête. Et remouillez-moi la serviette. Vous vous imaginez qu'on fait ce qu'en veut, dans la vie. Vous changerez d'opinion. Allons, ne pleure pas, Cécile. Quand elle reprendra ses sens, il faudra montrer bon visage. Bien. Doucement, doucement. Qu'est-ce que tu dis, Joseph ? Que je vous ai encore une fois mis dedans ! Quel langage, mon garçon ! N'insiste pas, ce serait irrespectueux. Pour ta mère, bien entendu. Je ne parle pas pour moi. Je n'ai plus d'illusion à votre sujet. Non, plus la moindre illusion.

CHAPITRE XVIII

LES CARACTÈRES BIEN TREMPÉS. GRANDEUR ET TRISTESSE DU SILENCE. UNE LETTRE D'HÉLÈNE STROHL. PAYSAGES DE LA BANLIEUE. SUR L'ESPRIT D'OBSERVATION. AVEC CHABOT. DANS L'ENTRÉE. JE N'AI PAS ENCORE VINGT ANS.

Le mémorialiste raconte que, le lendemain de son arrivée dans l'Ile de Sainte-Hélène, l'empereur se prit à siffler un air de vaudeville. Et Las Cases en semble étonné. Si cette belle insouciance est la marque des caractères fortement trempés, je veux croire que mon père — toute comparaison suspendue — n'était pas d'un métal médiocre.

Le lendemain de ce jour funeste, quelques instants après midi, je sortis dans le jardin pour y humer le vent d'hiver. Il était frais et tendre. Pour la première fois depuis bien des jours, la pluie semblait se désintéresser de nous. Sur un firmament de lait, de gros nuages démarrés s'en allaient à la dérive. Je marchais, oppressé, dans la petite allée de tilleuls. Et, soudain, j'entendis la voix de mon père. Il était enfermé dans son laboratoire dont les fenêtres étaient closes. Il chantait, allégrement, sa chanson ésotérique :

Chico,
Chicocando,
Batifol et ripenpette...

De temps en temps, il s'arrêtait et, pour s'éclaicir
la voix, lançait un « hum ! » sonore qui faisait trembler
les vitres.

Notre mère, depuis le matin, n'était pas sortie de sa
chambre. Je l'y allai voir. Elle était couchée, une
compresse d'eau froide sur la tête. Elle sourit faiblement.

— Ce n'est rien, mon petit Laurent. Je ne sais ce qu
m'est arrivé. Je vieillis un peu, Laurent.

Elle ne dit rien de plus. Je la regardais, sans insis-
tance trop sensible, et compris, alors, qu'elle ne savai
peut-être rien ou qu'elle savait peut-être tout, mai
qu'elle ne parlerait pas.

Il me fallut bien des années pour admettre un te
silence et pour en mesurer la tristesse et la grandeur
Si je l'ai méjugé d'abord, c'est que j'étais un enfant
c'est que je sortais, enivré, de la lecture d'Ibsen, c'es
peut-être aussi qu'il fallait, à ma grand faim de solitude
et de fuite, des raisons, même empoisonnées.

Je dis à maman que j'allais sortir et je sortis en
effet. Nous étions, si je ne me trompe, le lendemain
de Noël. La Sorbonne était fermée. On ne m'attendai
nulle part. Je ne souhaitais que l'épuisement, gage d
sommeil.

Comme je remontais la rue du Moulin, je rencontra
le facteur qui me tendit une lettre.

— C'est, dit-il, pour quelqu'un de chez vous.

La lettre était pour moi. J'en reconnus l'écritur
aussitôt et fut saisi d'un malaise qu'il m'aurait été

sur l'instant, bien impossible d'expliquer, mais que j'éprouve encore avec force quand j'évoque cette journée.

J'eus le singulier courage d'attendre dix minutes au moins avant d'ouvrir cette lettre. Je m'étais engagé dans la longue rue d'Alfort. Elle était brumeuse, infinie, ouverte à même l'hiver. Je finis par lire la lettre.

Mon cher ami Laurent, était-il écrit, *je vous connais depuis plus de deux ans et j'ai pour vous beaucoup d'estime, beaucoup d'affection aussi. Pour être tout à fait scrupuleuse, il me faudrait ajouter que cette affection était presque de la tendresse. J'ose à peine l'écrire, ce mot, non certes que la tendresse vous soit une chose étrangère, mais parce que j'ai la conviction presque désolée que ma tendresse ne vous serait pas de grand prix et que vous ne vivez pas sur la même planète que moi. Vous vivez, mon cher Laurent, dans un monde imaginaire d'idées et de sentiments très nobles, bien entendu, mais où vos meilleurs amis finissent par désespérer de trouver une petite place. N'importe! La seule personne à qui je veuille apprendre tout de suite ce qui m'arrive, Laurent, c'est vous, et pour beaucoup de raisons.*

Je vais me marier, Laurent. Quelque chose me dit que cette nouvelle ne doit pas vous trouver absolument insensible. La décision est d'hier. Vous reconnaîtrez, mon ami, que je n'ai pas attendu beaucoup pour me confesser. Ce qui rend cette confession plus nécessaire à mes yeux, c'est que j'épouse votre frère, oui, votre frère Joseph.

Mon cher Laurent, n'allez pas croire que nous aurions pu, Joseph et moi, parler plus tôt. Il fallait

se résoudre. Aujourd'hui, je suis résolue et cette lettr
même va rendre ma résolution tout à fait définitiv
Je sais ou je crois savoir que vous ne vivez pas
avec votre frère Joseph, dans une entente parfaite. J
dois pourtant vous rendre justice: chaque fois que vou
étiez en différend avec Joseph et que vous entreprenie
de me parler de lui, vous finissiez toujours par fair
son éloge. Avouez que c'est une référence. Je ne peu
croire que vous étendez l'orgueil à toute votre famill

Pendant la fin de cette année, j'ai eu beaucou
d'occasions de rencontrer votre frère et de causer ave
lui. C'est assurément un caractère très ferme et u
homme très intelligent. La demande qu'il m'a fait
et que je sens soutenue par un sentiment loyal m'
remuée, mon cher Laurent. Moi, je ne vis pas, comm
vous, au milieu des ombres. J'aurai vingt-trois an
bientôt. Je suis un peu votre aînée. Je dois songe
à faire ma vie, comme dit précisément Joseph.

Mon ami, je serais désespérée que cette nouvell
vous causât le moindre déplaisir. Avec vous, on n
sait jamais. Je vous aurais peut-être abordé de viv
voix et j'en avais formé le projet. Mais quoi! Vou
êtes inabordable: vous m'eussiez sans doute interrom
pue pour discourir de musique ou de poésie, pou
parler d'Uranus qui tourne en sens contraire de toute
les autres planètes... Je n'étais pas assez sûre de vou
trouver libre de vos fantômes ordinaires. J'ai don
préféré l'écrit.

Comme, en vérité, je ne peux croire que cette lettr
décousue vous donne la moindre peine, je me dispens
rai de tout ce qui pourrait ressembler à des consol
tions. Je veux quand même vous dire que, malgré d

lifférences évidentes, je distingue, entre votre frère :t vous, du moins à certaines minutes, des ressem-)lances très jolies, parfois, à peine perceptibles, mais ıui ne me déplaisent point, au contraire, puisqu'elles aisseront passer, dans ma nouvelle existence, le souve- ıir vivant d'une amitié dont vous ne douterez plus amais.

Je cherche comment vous appeler, au moment de 'ermer ma lettre. Eh bien! c'est tout à fait simple: Adieu, mon petit frère!

Hélène.

Je mis la lettre dans ma poche et continuai de narcher. Un peu plus tard, j'obliquai vers la gauche :t m'engageai dans des rues bordées par d'interminables nurailles aveugles. De temps en temps, je tirais la ettre de ma poche et murmurais! « Qu'est-ce que ça ›eut bien me faire? Pourquoi pas? oui, pourquoi pas? » Et je continuais de marcher au hasard.

Il pouvait être quatre heures et la nuit tombait déjà ıuand je m'arrêtai contre un bec de gaz, au milieu l'une ruelle toute barbouillée de charbon. Par-dessus es murailles, j'apercevais des réservoirs à gaz. De 'autre côté de la rue, de petits bâtiments d'usine se nontaient les uns sur les autres dans une bousculade ıargneuse. Deux tuyaux de cheminées lançaient l'un les pinceaux d'une fumée verte, l'autre des bouffées l'une vapeur orangée. La rue sentait, selon les mouve- nents du vent, tantôt le gaz d'éclairage et tantôt le ›onbon anglais. Je fis encore quelques pas et l'odeur ·hangea soudain. C'était un puissant remugle de onderie, de charogne cuite.

Je m'adossai contre un mur et sentis que j'allai
pleurer. La rue était déserte. Je ne me retins plus d
pleurer.

Un peu plus tard, un ouvrier survint, sur une bi
cyclette. Il s'arrêta devant moi, me regarda d'un ai
gêné, puis il dit :

— Viens prendre un coup de blanc. C'est moi qu
paye.

Comme je secouais la tête, il gronda :

— Tu veux pas. Tu as tort. Je sais ce que je dis.

La nuit commençait de noircir. Je me remis e
marche. Je songeais : « Ce n'est sûrement pas à caus
d'Hélène. Alors, c'est l'énervement. De toute façon
c'est honteux. »

Une lente méditation se déroulait dans l'ombre
« Il y a quelque chose d'inexplicable, chez moi. J
me destine à la science et mes maîtres, mes amis, me
compagnons de laboratoire estiment que je suis u
bon observateur. Hélas ! Ce n'est pas vrai. Sûrement
ce n'est pas vrai. Si j'étais ce qu'on appelle un bo
observateur, je verrais tout, je saurais tout, j'aurai
l'œil ouvert sur tout. Il y a quantité de choses que j
ne vois pas, que je comprends trop tard, quand je m
cogne le nez dessus. Qu'est-ce que tout cela signifie
Une grande part de la vie m'échappe, se passe e
dehors de moi. Et je veux étudier la vie, je veu
justement devenir ce qu'on appelle un biologiste
c'est-à-dire un observateur de la vie. Pourtant, certaine
choses qui sont vraiment mon bien, ma nourriture à
moi, ah ! je les sens, je les perçois, je les comprend
aussi bien que personne au monde, mieux que personn
au monde. Seulement, je ne vois pas tout. Hélène a

raison : je vis parmi les fantômes. Je rêve. Je ne sais que rêver. Schleiter dit qu'il ne faut pas rêver, au laboratoire. Si Schleiter a raison, ma vie est bien manquée. Schleiter peut se tromper... »

La pluie commença de tomber un peu avant huit heures du soir. J'étais au fond d'une avenue, devant de hautes bâtisses.

— Qu'est-ce que c'est que ça? demandai-je à un passant.

— Ça, monsieur, c'est l'hospice de Bicêtre.

Je me rappelai soudain que Chabot devait être interne là. Cette idée m'apparut comme une bouée de sauvetage. J'entrai, je demandai la salle de garde et j'y courus. La pensée que Chabot pouvait se trouver absent me fut, pendant une minute, injuste et insoutenable.

Chabot était là. Son fin visage fatigué brillait au milieu des autres. Il me considéra d'un œil amical, me nomma, me fit asseoir, dit :

— Rapportez la soupe et qu'on donne un verre à Pasquier.

Dix minutes plus tard, j'étais ivre de bruit, ivre de mots et peut-être même de vin.

Au dessert, un infirmier fit savoir à Chabot qu'on l'appelait pour un malade.

— Viens avec moi, dit-il. Ça vaut la peine d'être vu.

C'était une salle de vieillards. Elle était éclairée par des veilleuses débiles, en sorte que, tout d'abord, on n'apercevait que les lits, que les ombres blanches des lits. L'odeur était farouche. Une odeur de tannière, une odeur de fauves perclus. Petit à petit, l'œil s'accoutumait aux ténèbres. On apercevait alors, sur les lits,

les vieux hommes étendus. La plupart étaient main
tenus, des deux côtés, par de grosses planches qui les
empêchaient de tomber. Presque tous dormaient déjà
mais d'un sommeil hanté. Ils soupiraient, grondaient
riaient, gémissaient confusément. Ils se débattaient
en rêve contre les spectres de la vie.

Chabot vit son malade et fit une piqûre. De retour
à la salle de garde, je bus encore un verre de vin.

— Tu ne peux pas savoir, lui dis-je, quel service tu
m'as rendu.

— En t'invitant à dîner?

— Non. En me montrant l'enfer, là-bas, l'enfer des
vieux hommes.

Pour m'en retourner à Créteil, il fallait maintenant
faire un voyage tortueux et, d'abord, passer par Paris
N'importe! Je me sentais merveilleusement fort et
léger. Je répétais de seconde en seconde: « Je n'ai pas
encore vingt ans. Je n'ai pas encore vingt ans. Alors, je
veux vivre! »

CHAPITRE XIX

A Monsieur JUSTIN WEILL,
chez Monsieur **JACOB WEILL,**
à Guewenheim (Alsace).

10 janvier 1901.

Mon cher Justin, je vais tâcher de répondre à ta lettre, non pas absolument point par point, car j'ai beaucoup de mal à mettre mes pensées en ordre, mais au hasard de la plume.

Mme Henningsen a eu les plus grands torts. La pauvre femme aimait certainement son fils. Elle l'aimait à sa manière. Elle aurait dû, dès le début, consulter les spécialistes. Quand elle y a pensé, le mal était bien trop profond. Les derniers mois, c'étaient des querelles terribles. Ils se sont même battus. Certains jours, elle disait: « Je vais te faire enfermer! » D'autres jours, elle gémissait: « Tu en auras, mon petit! Je t'en trouverai. Quand je devrais en voler. Quand je devrais coucher avec le droguiste. Tu en auras, puisque tu aimes ça! » J'ai su toutes ces folies et beaucoup d'autres encore par les voisins, par les gens qui habitent maintenant notre ancien appartement, sous l'atelier des Henningsen.

*Pendant la fin décembre, elle enfermait son fils à clef, soi-disant pour le guérir. S'il souffrait de la « disette », il devenait furieux. Je crois t'avoir déjà raconté qu'il était sorti, certain dimanche, en dévissant la serrure. Il nous était arrivé dans un tel état que Joseph ne voulait même pas le laisser pénétrer dans la maison. Alors, M*me *Henningsen a, comme on dit, coupé les vivres. Valdemar a volé de la drogue, d'abord dans l'officine de mon père, qui s'en est aperçu trop tard, puis chez un pharmacien qu'il a menacé d'abattre à coups de revolver et qui, terrorisé, n'a déposé plainte qu'après la catastrophe. Ça, nous ne le savions pas. Nous ne pouvions pas le savoir et c'est sûrement vrai. Les journaux ont publié tant de choses abracadabrantes qu'il faut se méfier.*

Tu sais que le soir de la Saint-Sylvestre, nous dînons toujours en famille. C'est une tradition. Peut-être un jour futur passeras-tu cette fête avec nous. On soupe. On attend le coup de minuit pour saluer l'année nouvelle, on s'embrasse et chacun va se coucher. Je pense que si nous manquions à cette petite cérémonie, maman serait très malheureuse: elle vit de fidélité. Et il y a beaucoup de chance pour que tout cela dure encore, malgré ce que j'appelle « notre explosion. »

Valdemar était invité, cette année comme les précédentes, bien que maman m'ait dit, deux ou trois fois: « Ce mariage ne se fera pas. » J'avais grand peur que Valdemar n'arrivât dans un état pitoyable: nous n'en pouvions plus de drame. Pour moi, de toutes mes forces, je souhaitais un peu d'ordre et de repos. Comme je n'allais pas à Paris ce jour-là, j'ai prié Ferdinand de prendre Valdemar à la fin de l'après-midi et de le ramener lui-même, de le surveiller, en quelque sorte. Pour Cécile, pour moi, pour nous tous, je souhaitais que le dernier jour de l'année fût un jour de recueillement. Ferdinand a très bien compris. Sans grands détails, je lui avais expliqué diverses choses.

Dès sept heures, nous étions tous réunis, sauf, bien entendu, Valdemar et Ferdinand. Il n'est pas encore question de H. S. dans ces petites fêtes. Je te reparlerai de H. S. un peu plus loin. Père était là, bien sûr. Redingote, gilet blanc et fleur à la boutonnière: il s'habille, en de telles circonstances. Maman causait avec la petite Claire. Et nous attendions. Je ne saurais te dire à quel point cette réunion était triste. Une seule personne avait le courage de faire des plaisanteries. Passons, passons... De lui, rien ne m'étonne plus. Je sais que, maintenant, je vivrai dans l'attente douloureuse de quelque nouvelle folie.

Vers huit heures, mère a commencé d'entre-bailler la fenêtre et d'écouter les bruits de cette rue où l'on n'entend aucun bruit. Papa disait: « Tu perds toute notre chaleur. Ils arriveront, ils arriveront. Il n'y a que la fortune qui n'arrive pas. » A huit heures et demie, Claire pleurait. Maman l'a prise dans ses bras et, comme il y avait quelqu'un pour marquer plus d'inquiétude qu'elle-même, notre pauvre mère est devenue très sage, en apparence du moins. Je la connais bien et je devinais son tourment. Il faut te dire que, de mon côté, j'étais malheureux. Cécile m'a beaucoup étonné. Peut-être sous l'effort de la volonté, Cécile était redevenue, comme au temps de notre enfance, fière, froide, étrangère. Je peux te dire que, pendant ces derniers mois, Cécile a beaucoup souffert, elle a beau-

coup participé... Pardonne-moi, Justin, mais nous parlerons plus tard de Cécile. Je reviens à cette soirée du 31 décembre.

Nous avons attendu jusque vers dix heures et demie. Papa disait: « Moi, j'ai l'estomac le plus accommodant du monde. » Oui, voilà ce qu'il disait. A dix heures et demie, Joseph a pris son chapeau melon en grognant: « Je vais aller au-devant des retardataires. » J'ai fait observer que nous ne pouvions pas savoir s'ils arriveraient par Saint-Maur ou par le tramway de Créteil. Joseph a répondu: « Ça ne fait rien. » Il est sorti dans la rue en fumant une cigarette. Je commençais à m'inquiéter beaucoup.

Il était plus de onze heures, peut-être onze heures et demie quand nous avons entendu parler dans la rue du Moulin. Je suis sorti tout de suite. Joseph et Ferdinand venaient d'entrer dans la cour. Ferdinand disait: « C'est un malheur épouvantable! » Et Joseph répondait: « Allons, allons, du calme, inutile d'effrayer Cécile! » « Tu en parles à ton aise, reprenait Ferdinand. Toi, tu n'arrives pas de là-bas. »

Ferdinand est entré. Maman s'est jetée sur lui. Claire le pressait d'un autre côté. Nous posions tous des questions. Un tumulte indescriptible. Cécile s'est levée sans une parole. Et Ferdinand avait vraiment l'air bouleversé. Il faut te dire que, pendant sept ans, Valdemar a fait partie de notre vie. D'ailleurs, tu le sais bien. Ferdinand a balbutié: « Valdemar ne viendra pas. Comprends, Cécile: un accident... » Cécile est montée chez elle sans prononcer un mot. Maman est allée la rejoindre un peu plus tard et a commencé de lui donner des détails. Je n'ai revu Cécile que le lendemain matin. Il est possible, oui, je le sais maintenant, que la mort d'un être nous donne en même temps une douleur très profonde et un affreux soulagement.

Les journaux ont, comme toujours, montré beaucoup de fantaisie. Non, Valdemar n'a pas joué de musique jusqu'à la dernière minute du drame. Il ne jouait plus depuis déjà bien des semaines, les voisins me l'ont affirmé. Tout s'est passé d'une façon très prosaïque. Mme Henningsen est rentrée vers la fin de l'après-midi. Comme toujours, il pleuvait. Mme Henningsen était de méchante humeur et parlait haut, Valdemar a crié tout de suite qu'il était invité, qu'il voulait sortir. Il a demandé de l'argent. Il devait être, depuis deux jours, dans un état de « privation » complète. Tu sais ce que je veux dire. Valdemar criait beaucoup. Les voisins, épouvantés par le ton de la dispute, sont sortis dans l'escalier. Et, tout de suite, ils ont entendu les coups de feu. Puis la porte s'est ouverte et Mme Henningsen est venue tomber sur le palier de son étage. Elle avait une balle dans le ventre. Pour Valdemar, il râlait quand on est entré chez eux et il est mort tout de suite.

Tu as su que Mme Henningsen avait été transportée au plus près, c'est-à-dire à la Pitié. Elle a été opérée par Terrier qui est un maître. Mais les choses vont mal. Elle est au dixième jour et Terrier pense qu'on ne la sauvera pas. Je ne l'ai pas vue, cela va sans dire: on ne laisse entrer personne. Il paraît que la pauvre dame a toute sa conscience et qu'elle parle de son fils avec beaucoup de tendresse et même de raison. Elle se juge seule coupable. Hélas! coupable de quoi?

L'idée m'est venue que nous prenons volontiers sur nous certaines fautes pour enlever au destin une part de son horreur et de sa stupidité. Je te demande pardon, Justin, pour cette petite divagation philosophique: on se soulage toujours un peu, en s'efforçant d'expliquer ce monde inexplicable.

Mon frère J. est décidément un homme très dur. Après avoir écouté le récit de Ferdinand, il a dit, les dents serrées, la petite phrase un peu folle que Valdo répétait souvent: « Et c'est tout et c'est assez! » Mon père a cru devoir le rappeler à l'ordre: « Un peu de pudeur, Joseph. Si l'on disait ce que l'on pense, il n'y aurait plus moyen de vivre. »

Maman, j'ai dû l'écrire, était auprès de Cécile. Joseph a proposé de manger quand même un morceau. D'ailleurs, il a donné l'exemple. Je peux avouer que je ne l'ai pas suivi. J'étais rassasié de tout, même de vivre, ce soir-là. Nous sommes restés ensemble, parce qu'il y avait du feu. Et, soudain, la pendule a sonné. Joseph a dit: « L'année est finie! » — « Ce n'est pas seulement l'année, a repris Ferdinand, c'est le siècle, c'est le dix-neuvième siècle. » Nous avions l'air accablés, sauf papa, bien entendu. Il a chantonné: « Alors, on en commence un autre! » Tout cela, très allégrement. Un peu plus tard, il a dit: « On s'embrasse, d'habitude. » Et il se tournait vers Cl. Je n'ai même pas le courage d'écrire les noms en entier.

Je t'avais, avant ton départ, dit quelque chose — oh! à toi seul, Justin, tu peux bien le penser — je t'avais dit quelque chose de P. L. Mon frère J., qui sait tout, m'a raconté que cette personne avait accouché prématurément d'un enfant non viable, chez une sage-femme de Saint-Mandé. Cette nouvelle, malgré ce qu'elle a de triste, aurait pu me donner de l'allégement. Mais quoi! Je suis sûr maintenant que, ce drame-là terminé, — si tant est qu'il se termine — la personne que tu sais en fera naître d'autres. Il serait bien étonné s'il surprenait une telle parole. Il produit naturellement des drames, comme un arbre produit des fruits. Et il ne les sent même pas, il ne les comprend même pas. C'est nous seuls qui souffrons.

Ferdinand va se marier dans les derniers jours du mois. Joseph un peu plus tard. Je ne t'ai presque rien dit, l'autre jour, au sujet de H. S., et je sens que tu te trompes tout à fait, mon vieux Justin. Je n'ai jamais eu pour H. S. qu'une amitié très pure. Je ne comprends même pas, à la réflexion, pourquoi la nouvelle de ce mariage a pu me bouleverser autant, car elle m'a vraiment bouleversé. Tout est en ordre aujourd'hui. Joseph sait ce qu'il veut et il a ce qu'il veut. Il me semble que le jour approche où, moi aussi, je saurai ce que je veux, tout ce que je veux.

Je voulais avec force une première chose: elle est réalisée. Je t'écris dans une petite chambre, au dernier étage d'une maison, rue du Sommerard, 31. Je te donne tout de suite l'adresse pour le cas où tu aurais le temps de m'écrire avant la fin de tes vacances, que je souhaite apaisantes.

C'est fait: j'ai déménagé. Ça s'est passé très simplement. J'ai dit chez nous que mon travail ne me permettait plus de rentrer chaque soir à Créteil, et c'est peut-être vrai. Je conserve ma chambre à la maison, toujours, bien entendu. En fait, c'est fini. Je suis séparé, séparé. Je n'ai plus qu'une chose à faire, maintenant, me guérir d'eux tous.

Je ne saurais te dire avec quelle ivresse j'ai monté, dans ce perchoir où me voici, mon lit, ma table et ma chaise. Huit jours que je suis ici! C'est comme une seconde naissance, et dont j'ai le sentiment, parce que, de la première naissance...

Je m'aperçois que je ne sais rien, que je ne connaissais rien, que je ne comprenais rien. Je ne connaissais qu'eux. Ils me fermaient l'horizon, ils me bouchaient le ciel, le cœur, toutes les avenues de la vie. Et maintenant, c'est fini. Je ne peux pas le croire encore. Je suis sûr que c'est très bien ainsi: à l'idée de ne plus les voir, de ne plus les porter — c'est exactement le mot — je commence de les aimer mieux.

Schleiter a du bon. Tu sais qu'il m'avait promis de me trouver quelque chose: un travail intelligent et suffisamment payé. Cet homme sec a des principes: il promet peu et tient ses promesses. Il a cherché ce qu'il me fallait et il a trouvé. Je vais gagner cent soixante quinze francs par mois, ce qui me suffit tout à fait. Ce n'est pas déshonorant, comme travail, et même, ça m'intéresse. Il s'agit d'une encyclopédie populaire dont je suis, dès maintenant, le collaborateur scientifique attitré, pour les choses de la biologie, de la physiologie, etc... Mettre des notions complexes à l'échelle des âmes simples, c'est un travail dangereux, mais qui n'est pas sans attrait. Ça me prend toutes mes soirées, entre huit heures et onze heures à peu près. J'ai une grille de fonte, dans la cheminée, et je fais mon feu moi-même. Je m'y prends si curieusement et me donne tant de mal en préparant mon feu que j'attrape chaud pour une heure. Alors le feu est inutile.

Je te raconte ces bêtises, parce que je viens justement de rallumer cette fameuse grille.

Encore un mot de Cécile. Tu es, mon vieux la seule personne au monde, la seule personne devant qui j'ose à peine prononcer le nom de Cécile. Excuse la maladresse de ton ami.

Cécile est partie, avant-hier, pour l'Autriche, avec cette dame qui est, en somme, son manager, comme disent les massacreurs de Boers. Cécile va jouer à Vienne, devant le vieil empereur. Et puis, ce seront des concerts dans toute l'Autriche-Hongrie. Je ne veux pas te cacher que j'ai pleuré, avec Valdemar, toute une part de ma jeunesse ou plutôt de mon enfance. Pourtant, à la pensée que Cécile est délivrée, oui, délivrée de ce fardeau, de cette idée qu'elle avait, qu'elle se forçait d'avoir, à cette pensée, je suis heureux, je ne peux dire autrement.

Elle va, dès son retour, s'installer, seule, à Paris, dans un petit appartement, du côté du Parc Monceau. Encore un mois et la maison sera presque vide. Je ne peux quand même y songer sans un serrement de cœur. C'est l'époque de la déhiscence, comme dirait M. Bonnier: le fruit s'ouvre et les graines sautent. Ça vaut beaucoup mieux comme ça. Nous ne pouvions plus que nous meurtrir et nous étouffer l'un l'autre.

Je vais peut-être blasphémer, Justin, mais si quelqu'un peut me comprendre, c'est toi, toi seul, mon vieux. Maman est une sainte, c'est vrai. C'est une sainte... oh! comment dire? Une sainte des petites choses. Je ne peux m'expliquer mieux. Il y a des jours où je rêve d'une plus large sainteté, non pas plus chaude, bien sûr, non pas plus rayonnante, c'est impossible. Alors? Tu vois, je le disais bien: je blasphème, je blasphème.

Je suis allé, hier, à Créteil, en visite, exactement. Je n'y ai passé qu'une heure. Je ne peux te dire l'émotion que j'ai ressentie. C'est presque banal, mais je reviens à ma comparaison. Je parlais de déhiscence. Tu as vu parfois une écorce de châtaigne, une gousse vide... Oui, c'est quelque chose comme ça.

Pourtant, il y avait Suzanne. Maman était en train de lui apprendre à lire. Elle recommence tout avec cette petite fille. Elle a fait de grands efforts pour ne pas pleurer, et même elle n'a pas pleuré. Elle me disait: « N'oublie pas de m'apporter ton linge. On blanchira tout ici, et je te le raccommoderai. »

Au moment de me quitter, elle a laissé paraître un sourire si triste et pourtant si courageux qu'il a fallu que je me sauve.

Je pense qu'elle est là-bas, avec cet homme extraordinaire, et qu'elle se dit, peut-être, comme moi, comme nous tous, comme Cécile, au fond de l'Autriche: « Qu'est-ce qu'il va faire, maintenant? Que va-t-il inventer, maintenant? »

Non, non, je ne veux plus y penser jusqu'à demain. Je sais, je crois savoir qu'ils vont déménager. La situation, à Créteil, est devenue impossible. Il cherche un nouveau poste dans la région parisienne... Non, je t'ai dit que c'est fini jusqu'à demain.

Parlons d'autre chose, mon vieux.

Je songe qu'il y a deux mois, nous devisions encore, gravement, en nous baguenaudant au bord de la Marne, de la rédemption du monde par la science ou par l'art, ou par je ne sais quoi! Oh! je ne ris pas, crois-le bien. L'art garde une place honorée dans mon esprit. Je lui demande encore enthousiasme, consolations et clartés; pour la science, je vais lui consacrer ma vie, mais sans rhétorique. Justin, sans trémolo, sans champagne, sans main sur le cœur, pour la seule passion de comprendre quelque chose à ce monde extravagant.

On nous a farci la cervelle d'une foule d'idées qui sont respectables, sans doute, mais passablement niaises. Et maintenant, nous voilà quand même au pied du mur, et il va falloir grimper. Il est triste, à vingt ans, d'être nu comme je le suis, dépourvu comme je le suis. Pourtant, je ne manque pas de courage. Au contraire. Car, mon vieux, il s'est produit dans mon cœur une grande révolution. J'étais, il y a quinze jours, tout à fait désespéré. Voilà que tout est changé. Comment? Je ne saurais le dire. Je veux vivre, je veux vivre pour moi. Je veux aimer. Je veux jouir de la beauté du monde. Je veux me sauver tout seul. Enfin, j'ai tout un programme qui comporte trois parties essentielles.

La première concerne l'amour; la seconde, la liberté; la troisième, la gloire. Je t'expliquerai tout ça quand tu seras de retour. Mon feu s'est encore éteint. Le pétrole baisse dans la lampe. Je ne veux pas commencer mon siècle, notre siècle à nous, avec une mèche qui fume et des cendres refroidies dans mon premier foyer.

Dépêche-toi de me revenir.

Ton frère librement choisi,

LAURENT PASQUIER.

FIN

TABLE DES MATIÈRES

ACHEVÉ D'IMPRIMER POUR LES ÉDITIONS VARIÉTÉS, LE QUINZE MARS MIL NEUF CENT QUARANTE-CINQ, À MONTRÉAL, CANADA.

Date Due